Published by Lexis Rex Language Books
Brisbane, Australia
support@lexisrex.com

Copyright © Lexis Rex 2016.

ISBN 978-1-925561-03-6

D1612411

No. 1

## Across

1. speedy
4. lodged
7. *(I)* deny
8. council; advice
10. wool
12. dice
14. *(I)* tie
15. drain
17. to index
20. *(he)* muted (1,2)
21. sense
22. *(he)* tested (1,5)

## Down

1. *(he)* hangs
2. ear
3. peak
5. ode
6. church
9. *(he will)* deny
11. index
12. *(I was)* dancing
13. *(I)* pity
16. cunning; wily
18. flair; bounty
19. rat

# No. 2

## Across
1. to bite
4. *(he)* killed (1,3)
8. *(he)* says
9. tavern
10. tails
12. dowry
14. heap
15. sharp
17. crafts
20. hustler
21. bags
22. pigeon

## Down
1. noon
2. returns
3. rite
5. shooting
6. riot
7. elusive
11. uses
12. dilemma
13. atoms
16. scan
18. jerk
19. ski; skiing

No. 3

### Across

1. leaks
4. *(he)* sleeps
7. straight
8. winter
9. sculptor
11. *(they)* walked (3,6)
15. ruler; rule
16. idiot; idiotic
17. *(you will)* go
18. kinds

### Down

1. fade
2. *(we will)* go
3. entourage
5. *(I)* open
6. *(he will)* pull
8. hypocrite; hypocritical
10. ant
12. tiger
13. sink
14. summers

### Across
1. truck
4. even; platter
8. lake
9. to crush; to mash
10. abbey
12. perky
14. *(I)* dare
15. mirrors
17. wrapped
20. *(he)* saw (1,2)
21. beds
22. author

### Down
1. prop
2. macabre
3. dared
5. weary
6. drawer
7. *(he will)* scream
11. clay
12. grenade
13. sun; sunshine
16. leather
18. *(he)* beats
19. elect

## Across

1. human
4. page; knave
8. to mute
9. shorts
10. dictatorships
12. *(you/vous)* flattered (4,6)
16. blunder
17. gains
18. roast
19. contempt; scorn

## Down

1. haste
2. musty
3. to identify
5. love
6. ecstasy
7. *(you/tu)* strangled (2,8)
11. to order; to rank
13. effect; spin
14. to sort
15. *(you/tu)* dare

No. 6

**Across**

1. *(he)* kept (1,5)
4. canopy
8. gloves
9. exodus
10. *(they)* straighten
12. architect
16. drama
17. table
18. to deny
19. *(he)* tread (1,5)

**Down**

1. acute
2. year
3. *(you will)* distract
5. *(I)* adore
6. nap
7. perspective
11. garden
13. crab
14. taboo
15. weighed

### Across

1. stamina; endurance
8. through; per
9. carpet; rug
11. freight
13. case
14. *(he)* united (1,3)
15. hi; bye
16. *(I)* drank (2,2)
17. gin
18. black
20. blades
23. era
24. *(you/vous)* translate

### Down

2. nerves
3. urn
4. art
5. headland; cape
6. show; spectacle
7. to spy
10. *(he)* butchers
12. heel
15. soot
17. strand
19. obeyed
21. mature; ripe
22. south

### Across

1. nanny
4. *(they)* are
8. dyed
9. drab
10. *(they were)* retaining
12. operators
16. *(you/tu)* pull
17. envied
18. rosy
19. stud; stallion

### Down

1. note; memo
2. useful; helpful
3. *(they)* ironed (3,7)
5. hostage
6. thirty
7. ideally
11. to doubt
13. *(I)* write
14. rival
15. neon

# No. 9

## Across

1. glory; fame
4. tooth
8. gallows
9. buckets
10. to reappear
12. shrub
16. *(he)* dies
17. to swim; to dive
18. *(you/tu)* deny
19. toe

## Down

1. pledge
2. shadow; shade
3. ritualistic
5. exact
6. texts
7. to assassinate
11. bartender
13. haze
14. eagle
15. oral

## Across

1. to scramble (2,4)
4. which
7. fund; funds
8. thick
9. to care (2,7)
11. wonder
15. stations
16. baths
17. salty
18. to cease

## Down

1. couch
2. (I) render
3. pending (2,7)
5. boyfriend (2,3)
6. chandelier
8. balance
10. pictures
12. rural
13. exiles
14. to dare

### Across

1. strenuous; arduous
3. *(I)* hurt
7. *(I)* register
9. ego
10. *(he)* muted (1,2)
12. job
15. throat; canyon
16. *(I)* tie
18. pine
19. *(we were)* gazing
21. lane
22. throws

### Down

1. *(I will)* act
2. dice
4. *(I)* read
5. sleep; sleeping
6. exile
8. to roast
11. emergency; urgency
13. heavens
14. *(you/tu)* cease
17. conveniently (1,3)
19. fled
20. ode

### Across

1. hassle
4. fried
8. array
9. bait
10. to wail (2,8)
12. (I was) facing
16. short
17. tablecloth
18. link; bond
19. desk

### Down

1. stem; rod
2. military; army
3. (you/vous) added (4,6)
5. respite
6. (he will) handle
7. misunderstanding
11. calculation
13. mistake
14. unholy
15. revised

### Across

1. folk
4. handled
7. ski; skiing
8. *(he will)* save
10. trial; essay
12. that; whom
14. bus
15. beach
17. cabaret
20. who
21. breed
22. *(you/tu)* weighed (2,4)

### Down

1. pose
2. universe
3. lily
5. age
6. to mislead
9. *(he will)* unite
11. to undermine; to sap
12. some
13. dark; obscure
16. wrinkled
18. ferry
19. heap

## No. 14

### Across
1. *(I)* prize
4. angel
8. fax
9. *(they)* crawl
10. leaks
12. rat
14. soul
15. *(I)* crush
17. *(he)* solved (1,6)
20. *(I)* dare
21. two
22. cloths

### Down
1. elf
2. texture
3. sea
5. *(I)* deny
6. entity
7. to amuse
11. treasure
12. *(we were)* shaving
13. bastard
16. shackles
18. elect
19. united

## No. 15

### Across

1. mud; muck
3. mental
7. to ski
9. pact
10. innocence
12. trust
15. winter
16. naval
17. to calm
18. cube

### Down

1. pelvis
2. union
4. expansion
5. stain; blur
6. to tie; to bond
8. chuckle
11. vigil
12. civil; civilian
13. nephew
14. shock; concussion

### Across

1. slipped
4. perished
7. mast
8. snap; to bang
10. flap
12. view; sight
14. *(he)* beats
15. *(he)* revised (1,4)
17. relative
20. *(he)* saw (1,2)
21. summers
22. brutal

### Down

1. moaned
2. interest; incentive
3. bag; sack
5. touched
6. unreal
9. other
11. gaping
12. *(he was)* wanting
13. boarded
16. duel
18. related
19. iron

No. 17

## Across

1. *(I)* fold
3. branded
8. *(you/tu)* drown
9. *(he will)* deny
10. *(I will)* retain
12. to gather; to herd
16. outsider
17. to wander; to stray
18. goddess
19. sense

## Down

1. to hang; to depend
2. idiot; idiotic
4. honeymoon (4,2,4)
5. *(he will)* kill
6. *(I will)* go
7. lifts
11. orders
13. anchor
14. wide; broad
15. *(he)* hangs

No. 18

### Across

1. armed
3. residue
7. *(I)* killed (2,3)
9. abolished
10. lobby
12. warriors
15. raids
16. grabbed
17. locker
18. telly

### Down

1. *(he)* saved (1,5)
2. motorcycles
4. *(you will)* evacuate
5. idol
6. *(I)* unite
8. epilepsy
11. *(you/tu)* liked (2,4)
12. gains
13. demanded
14. stuff; ploy

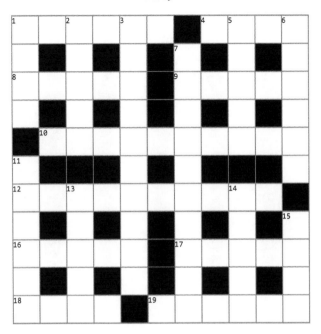

### Across

1. hungry
4. soy
8. blades
9. *(he was)* having
10. computer
12. discipline
16. forum
17. immune
18. edict
19. aspect

### Down

1. gone
2. to smoke
3. mysticism
5. hostage
6. *(you/tu)* pulled (2,4)
7. umbrellas
11. *(he)* challenged (1,5)
13. *(I will)* be
14. *(I)* name
15. *(he)* unites

No. 20

## Across

1. patent
4. freight
8. headland; cape
9. palette
10. thunderous
13. *(he will)* revolve
15. *(they)* envy
17. jerk
18. *(I)* shave
19. butter

## Down

1. ferries
2. exploit; feat
3. *(you were)* explaining
5. rite
6. thirty
7. clarinet
11. to arrest
12. error; lapse
14. saw
16. *(you/tu)* go

No. 21

### Across

1. code
3. cares
7. *(I)* resist
9. end; finish
10. *(I)* read
12. to rate
15. west
16. six
18. weary
19. marriage; wedding
21. like; similarly
22. *(he)* follows

### Down

1. circle
2. dice
4. ode
5. chests
6. *(he)* feels
8. cult
11. sponsor
13. to handle
14. expert; adept
17. briefs
19. ego
20. *(he)* muted (1,2)

## Across

1. bonfire; pyre
4. ounce
8. meal
9. fare
10. *(they)* straighten
12. *(I)* protested (2,8)
16. deaf
17. soar
18. to deny
19. twin

## Down

1. edge; border
2. copy
3. overweight (2,8)
5. norm
6. belongings
7. *(you/vous)* returned (4,6)
11. home; house
13. stern
14. cup
15. opening

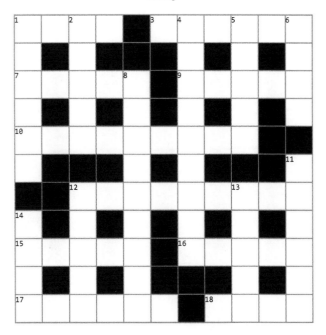

## Across

1. peer
3. *(I was)* noting
7. tablecloth
9. *(I will)* do
10. exercises
12. walk; stroll
15. *(they)* drank (3,2)
16. sherry
17. *(he will)* shave
18. *(you/vous)* are

## Down

1. basket
2. unholy
4. unofficial
5. after; afterwards
6. *(I)* know
8. to defraud
11. *(you/tu)* cease
12. pasta
13. stop; standstill
14. for

No. 24

**Across**
1. pulpit
4. tact
7. husbands
8. hits
9. solitary; solitaire
11. obstacles
15. alas
16. blunder
17. rare; scarce
18. masses

**Down**
1. camp
2. *(you will)* have
3. results
5. *(he)* punished (1,4)
6. cups
8. catalogue
10. boulder
12. to salt; to pickle
13. couches
14. *(I)* serve

No. 25

### Across

1. *(I)* last
3. social
8. tank
9. crazy; mad
10. duet; duo
12. ash
15. to abuse
16. elect
18. ski; skiing
19. to flatter
21. razor
22. barley

### Down

1. decided
2. rat
4. *(I)* dare
5. informed
6. wolf
7. accurate; precise
11. *(you/tu)* forget
13. normal
14. war; warfare
17. to dare
19. fled
20. shooting

**Across**

1. phases
4. canopy
7. tenor
8. canvas; linen
9. excellent
11. billions
15. *(he will)* know
16. to swim; to dive
17. shaven
18. retained

**Down**

1. dough; batter
2. year
3. *(he will)* enrich
5. acid
6. nap
8. tolerance
10. to amuse
12. wolves
13. sign; cue
14. strenuous; arduous

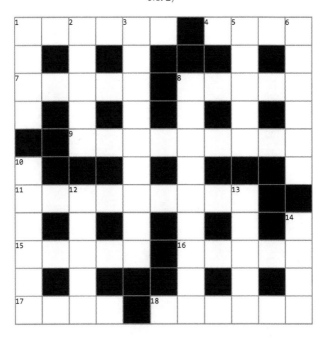

### Across
1. middle; medium
4. tooth
7. dance
8. bust
9. *(you were)* preventing
11. to apply; to implement
15. lounge room; salon
16. table
17. *(you/tu)* deny
18. crises

### Down
1. noon
2. spear; lance
3. exemption
5. trial; essay
6. thirteen
8. to peck
10. pelvis
12. shovel; scoop
13. dresses
14. beaks

No. 28

**Across**

1. consul
4. even; platter
8. reacted
9. strained; taut
10. yearning; aspiration
12. *(they)* ironed (3,7)
16. *(he will)* drink
17. wool
18. pulled
19. recent

**Down**

1. curry
2. *(I was)* denying
3. *(I will)* use
5. Monday
6. turned
7. *(he)* wrought (1,9)
11. combat
13. to sort
14. sixteen
15. *(he)* serves

### Across

1. *(he)* saved (1,5)
4. dare; defiance
8. mast
9. *(I)* execute
10. *(I)* helped (2,4)
12. *(he)* lives
14. throw; cast
15. oceans
17. *(he will)* save
20. dared
21. edict
22. *(he)* tested (1,5)

### Down

1. *(I)* like
2. *(I)* tinged (2,5)
3. view; sight
5. touched
6. inept; inane
7. repeated
11. idols
12. *(we were)* coming
13. adjusted
16. telly
18. united
19. art

**Across**

1. volcano
4. *(I)* fold
8. *(he)* says
9. to wound
10. *(he)* maintained (1,9)
13. outrageous; insulting
15. cabaret
17. hustler
18. breed
19. brush

**Down**

1. empty; vacuum
2. *(they)* battle
3. arbitrary
5. lily
6. error; lapse
7. to repent (2,8)
11. enemies
12. to force
14. saw
16. ferry

No. 31

### Across
1. same
3. to put
7. details
9. pub; ad
10. sea
12. opera
15. cloth
16. heap
18. iron
19. grenade
21. unpublished
22. lasted

### Down
1. madam
2. *(he)* places
4. weary
5. *(he was)* copying
6. dress; gown; robe
8. *(we will)* go
11. retarded
13. scum; foam
14. *(you/tu)* threw (2,4)
17. *(he)* fled (1,3)
19. perky
20. *(he)* muted (1,2)

No. 32

**Across**
1. *(they)* pull
4. vow
8. jerk
9. *(he will)* mislead
10. to close; to shut
12. *(I)* tie
14. dice
15. convoy
17. sweaty (2,5)
20. *(he)* saw (1,2)
21. bags
22. studies; studying

**Down**
1. *(I)* handle
2. boulders
3. denied
5. ode
6. uses
7. brown
11. to chew
12. leopard
13. *(I)* admit
16. *(I)* flee
18. bag; sack
19. rite

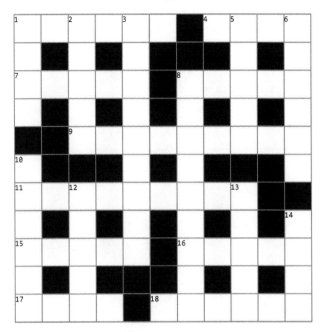

### Across

1. garden
4. wise; sage
7. gains
8. care; worry
9. to shrink (2,7)
11. to sacrifice
15. rock
16. *(he)* created (1,4)
17. *(you will)* go
18. stud; stallion

### Down

1. judge
2. raids
3. to instruct
5. *(you/tu)* united (2,3)
6. to demand; to require
8. beguiling; alluring
10. *(I will)* dare
12. *(I)* hide
13. rural
14. neon

**Across**
1. to cut; to log
4. bile
7. idiot; idiotic
8. trunk
9. *(they)* arrange
11. *(he was)* mistaking
15. to like; to love
16. icon
17. *(you/tu)* kill
18. income; revenue

**Down**
1. screams
2. *(he will)* unite
3. outside
5. idol
6. excited; randy
8. attempt
10. impact
12. apple
13. throne
14. revised

No. 35

### Across

1. pulpit
4. soy
8. ten
9. bull
10. boldness; audacity
12. that; whom
14. wheat
15. to talk; to speak
17. affected
20. who
21. exile
22. subjects

### Down

1. code
2. *(he)* excused (1,6)
3. rat
5. *(I)* dare
6. to abuse
7. tumor
11. aspect
12. some
13. abbey
16. ends
18. fled
19. elect

# No. 36

## Across

1. desk
4. but; save
7. *(you/tu)* pull
8. eraser
9. to wish; to crave
11. *(you were)* learning
15. *(you/tu)* believed (2,3)
16. free
17. god
18. incense

## Down

1. purposes
2. laughs
3. *(I)* supported (2,7)
5. *(he)* admits
6. flowers
8. grit
10. hazard
12. pact
13. zebra
14. shackles

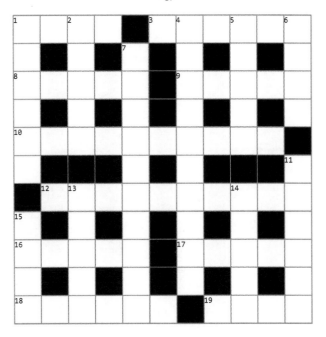

### Across
1. pawn
3. silver; money
8. job
9. field
10. *(you/vous)* counted (4,6)
12. properly
16. *(I)* fled (2,3)
17. grabbed
18. *(we)* set
19. zealous

### Down
1. pole; post
2. uncle
4. reward
5. exact
6. sort; dude
7. perception
11. starry
13. rejection; refusal
14. demanded
15. camp

# No. 38

## Across

1. *(I)* buy
4. screamed
8. union
9. to smoke
10. murderers
12. ornamental
16. soap
17. *(he)* helped (1,4)
18. rum
19. *(you/tu)* came (2,4)

## Down

1. *(he)* killed (1,3)
2. hatred
3. tenderly
5. railing; ramp
6. *(I)* crush
7. *(I was)* facing
11. leisure
13. nephew
14. acid
15. disappointed

## No. 39

### Across
1. wrinkled
3. future
8. product
9. art
10. shooting
12. *(you/tu)* lived (2,4)
15. *(you/tu)* received (2,4)
16. ski; skiing
18. louse
19. virtual
21. locker
22. yesterday

### Down
1. repeated
2. duet; duo
4. *(he)* lives
5. nuances
6. roast
7. fleeting
11. risks
13. *(he will)* want
14. to target
17. conveniently (1,3)
19. view; sight
20. united

## No. 40

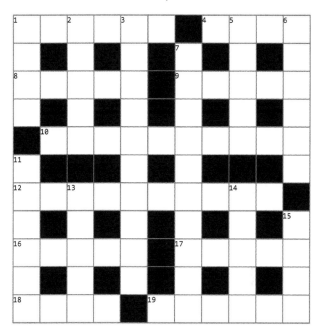

### Across

1. *(I)* helped (2,4)
4. worse; worst
8. gloves
9. straight
10. *(they)* straighten
12. greedy
16. shovel; scoop
17. grain
18. *(I)* shave
19. *(I)* hesitate

### Down

1. acute
2. year
3. *(you will)* distract
5. *(I)* isolate
6. entity
7. *(he)* distinguished (1,9)
11. to crawl; to creep
13. wings
14. boyfriend (2,3)
15. angel

No. 41

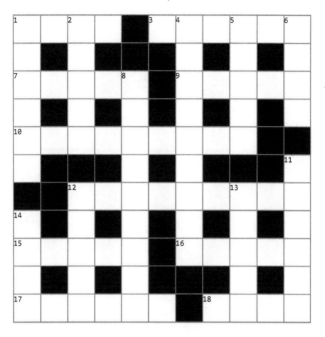

### Across
1. which
3. tycoon; mogul
7. *(he)* threaded (1,4)
9. singing; birdsong
10. *(you/tu)* restore
12. *(he was)* disguising
15. study
16. zones
17. riot
18. threaded

### Down
1. four
2. exiles
4. *(you were)* agreeing
5. *(I was)* denying
6. handled
8. *(they)* spare
11. *(he)* tested (1,5)
12. twelve
13. thus; hence
14. managed

No. 42

### Across

1. chandelier
4. (they) are
8. perky
9. terror
10. spinal
12. touched
14. iron
15. brown
17. (he will) send
20. heap
21. salty
22. to open

### Down

1. lodged
2. skipper
3. rite
5. ode
6. shooter
7. to burn; to blaze
11. number
12. to listen
13. belongings
16. to dare
18. vile
19. (he) muted (1,2)

## No. 43

### Across

1. cigar
4. wizard
8. flap
9. *(he)* obeyed (1,4)
10. astonishment
12. shrub
16. heel
17. radish
18. soot
19. beers

### Down

1. curry
2. gallows
3. *(they were)* retaining
5. amber
6. *(I)* exist
7. *(I will)* stroke
11. cactus
13. broom
14. to help; to aid
15. *(you/tu)* dare

No. 44

## Across

1. bows
3. to put
7. idiot; idiotic
9. cow
10. *(he)* persuaded (1,8)
12. to transit
15. *(I)* give
16. nerves
17. thirty
18. gray

## Down

1. *(I will)* act
2. crime
4. delivery
5. ticked
6. to buck
8. testament
11. crises
12. aunt
13. to pull; to shoot; to tap
14. edict

*(crossword grid)*

### Across
1. adult
4. oral
7. ego
8. carrot
10. thoughts
12. sea
14. related
15. soar
17. procedure
20. *(he)* saw (1,2)
21. *(you/tu)* kill
22. purity

### Down
1. *(I)* like
2. utility; usefulness
3. jerk
5. rat
6. ivy
9. roses
11. elevated
12. marriage; wedding
13. valve
16. intent
18. *(I)* dare
19. elect

No. 46

**Across**
1. *(you/vous)* pour
4. to boo; to hoot
7. bleak; dismal
8. *(you/tu)* knot
9. upper; superior
11. *(I was)* printing
15. heron
16. effect; spin
17. raid
18. filth

**Down**
1. vomit
2. laughs
3. exemption
5. wear
6. *(he will)* shave
8. narrator
10. to nest
12. among
13. couches
14. fireplace

# No. 47

### Across
1. cows
4. hand
8. cane
9. care; worry
10. temporary
12. knights
16. to dream
17. *(he will)* unite
18. *(I)* create
19. *(he)* raised (1,5)

### Down
1. vice
2. tale
3. exemplary
5. *(he)* punished (1,4)
6. to snow
7. *(you/tu)* articulated (2,8)
11. dent
13. envied
14. ruin
15. paid

## No. 48

### Across

1. *(I)* cover
4. pose
7. dyed
8. poppy
9. stairs
11. *(I was)* answering
15. wool
16. idol
17. rage
18. units

### Down

1. *(I)* quote
2. useful; helpful
3. reluctance
5. *(I)* open
6. ecstasy
8. heartbeat
10. to hail
12. fist
13. shorts
14. beaks

### Across

1. bridge
3. to foam
8. treasures
9. mature; ripe
10. gin
12. desert; wasteland
15. luggage
16. bag; sack
18. lake
19. tired
21. cloths
22. perished

### Down

1. soup
2. denied
4. case
5. members
6. rare; scarce
7. *(he will)* want
11. nuances
13. nap
14. *(he)* cherished (1,5)
17. even; platter
19. crazy; mad
20. ford

No. 50

**Across**
1. meat; flesh
4. stolen
7. debate
8. to pray; to beseech
9. pending (2,7)
11. (you were) learning
15. (he will) deny
16. noble
17. wrinkled
18. (he) defends

**Down**
1. empty; vacuum
2. tree
3. (he will) detest
5. olive
6. (I) crush
8. passionate
10. to win; to gain
12. (he) takes
13. zebra
14. (he) hangs

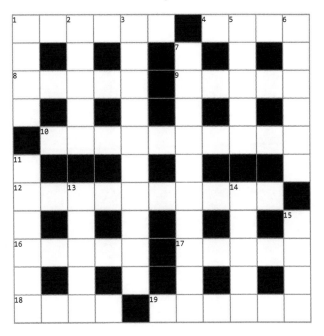

### Across

1. drawer
4. aimed
8. blades
9. railing; ramp
10. resilience
12. to parachute
16. trial; essay
17. love
18. *(he will)* be
19. *(you/tu)* came (2,4)

### Down

1. telly
2. crawled
3. instinctive
5. immune
6. to raise; to advance
7. *(I was)* articulating
11. calls
13. to shave
14. exodus
15. opening

No. 52

### Across
1. impact
4. dose
8. rite
9. minister; pa
10. neutral
12. few
14. throw; cast
15. raucous
17. secrets
20. six
21. summers
22. floral

### Down
1. drunk; drunken
2. patient
3. headland; cape
5. ode
6. error; lapse
7. (you/tu) revised (2,4)
11. to tarry
12. to push; to urge
13. adjusted
16. exile
18. key
19. floor; ground; soil

## No. 53

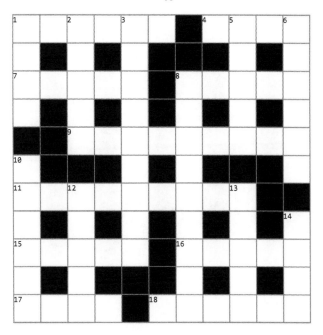

**Across**
1. *(I)* deposit
4. breed
7. boyfriend (2,3)
8. smelly
9. *(they were)* ringing
11. *(I was)* observing
15. popes
16. to wander; to stray
17. to laugh; laughter
18. strict; stringent

**Down**
1. two
2. *(I)* please
3. *(you will)* bleed
5. scrooge
6. entity
8. *(they were)* putting
10. to cut; to log
12. to undermine; to sap
13. *(I will)* be
14. freight

No. 54

**Across**
1. salty
3. to season; to spice
8. *(they)* test
9. ski; skiing
10. *(I)* deny
12. pockets
15. *(they)* read
16. heap
18. art
19. to fan
21. perfume; fragrance
22. arm

**Down**
1. satin
2. weary
4. fart
5. *(they)* cease
6. streak
7. folk
11. to exist
13. *(you were)* quoting
14. *(you will)* dare
17. camp
19. touched
20. shooting

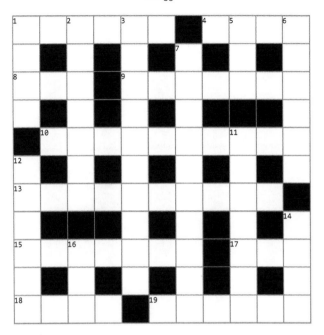

### Across

1. timid; coy
4. strong; loud
8. through; per
9. sparrow
10. perception
13. outrageous; insulting
15. notorious
17. rat
18. bags
19. womb

### Down

1. sort; dude
2. *(they)* bite
3. democracy
5. *(I)* dare
6. turned
7. simply; merely
11. to ignore; to disregard
12. monks
14. *(you/vous)* are
16. jerk

No. 56

## Across
1. (he) smiled (1,5)
4. (he) fled (1,3)
8. flap
9. apple
10. (they were) receiving
12. injunction
16. tyrant
17. to swim; to dive
18. (I) shave
19. urgent

## Down
1. shelter; lee
2. shadow; shade
3. (they) retain
5. woman; wife
6. inept; inane
7. to pertain
11. to dictate
13. juries
14. finger nail
15. fried

### Across

1. to bore; to pierce
4. ends
7. dash
8. copy
9. widely; extensively
11. *(he was)* mistaking
15. to wax
16. icon
17. ugly
18. *(they)* pray

### Down

1. dough; batter
2. rural
3. outside
5. unholy
6. slender
8. knight
10. friendly
12. among
13. throne
14. *(he)* feels

No. 58

**Across**

1. *(you/vous)* wear
4. rum
7. effect; spin
8. thorn
9. *(they were)* saving
11. *(I)* spared (2,7)
15. glue
16. exact
17. beds
18. *(he)* tested (1,5)

**Down**

1. stake; spike
2. rejection; refusal
3. entourage
5. hatred
6. crumb
8. *(they)* spare
10. calculation
12. shine; flake
13. thick
14. *(he)* killed (1,3)

### Across

1. *(I)* weighed (2,4)
4. zealous
8. white; blank
9. avid
10. astonishment
12. *(they)* shared (3,7)
16. to hold
17. naval
18. rare; scarce
19. desk

### Down

1. *(I)* drank (2,2)
2. *(he)* pleases
3. secondary
5. *(I)* avoid
6. riot
7. misunderstanding
11. to doubt
13. tenor
14. frost
15. fuzzy; blurred

No. 60

**Across**
1. shaven
3. tents
7. lively; brisk
9. to like; to love
10. to instruct
12. youths
15. *(he will)* unite
16. *(he)* helped (1,4)
17. *(I)* hesitate
18. revised

**Down**
1. to react
2. breasts
4. *(he will)* examine
5. grave; tomb
6. *(I)* serve
8. demanding
11. *(you/tu)* lived (2,4)
12. joys
13. sixteen
14. lute

### Across

1. *(he)* burnt (1,5)
4. *(you/tu)* dare
7. *(he)* says
8. poodle
10. trial; essay
12. dowry
14. *(he)* beats
15. vases
17. shack
20. united
21. scuffle
22. inmate

### Down

1. strenuous; arduous
2. *(he)* retains
3. lake
5. bag; sack
6. nap
9. *(you/tu)* drown
11. soap
12. dispute
13. dark; obscure
16. *(I)* had (2,2)
18. cubicle
19. denied

No. 62

## Across

1. defeated
4. dare; defiance
7. south
8. product
10. sherry
12. few
14. iron
15. to shave
17. to accuse
20. *(he)* muted (1,2)
21. summers
22. statue

## Down

1. visa
2. to index
3. headland; cape
5. elect
6. intruder
9. oasis
11. laughs
12. loser
13. hungry
16. hearing
18. key
19. rite

# No. 63

### Across
1. *(I)* saw (2,2)
3. watch
7. niche
9. departed
10. *(I)* glimpsed (2,7)
12. *(we will)* react
15. immune
16. grabbed
17. letter
18. weighed

### Down
1. lamb
2. cow
4. orphans
5. twisted
6. exile
8. to practice
11. *(you/tu)* liked (2,4)
12. *(he)* breaks
13. olive
14. rape

No. 64

### Across
1. hay
3. oceans
8. union
9. to park
10. business
12. importance
16. cordial
17. to wander; to stray
18. *(he will)* shave
19. throws

### Down
1. to tread; to stomp
2. idiot; idiotic
4. cigarettes
5. after; afterwards
6. *(he will)* be
7. to wrap; to envelop
11. degrees
13. husbands
14. norm
15. to dare

### Across

1. tuna
3. *(you/tu)* doubt
8. bee
9. touched
10. through; per
12. mentor
15. rather
16. ski; skiing
18. *(he)* lives
19. warning; to warn
21. belongings
22. scan

### Down

1. hatch
2. ode
4. *(I)* dare
5. treasures
6. but; save
7. climate
11. relative
13. *(you were)* noting
14. lemon
17. drunk; drunken
19. art
20. jerk

No. 66

**Across**
1. cave
4. male
7. weary
8. *(he will)* dry
10. *(I)* adore
12. view; sight
14. ten
15. cup
17. *(he will)* send
20. flair; bounty
21. salty
22. boldness; audacity

**Down**
1. golf
2. birds
3. heap
5. age
6. examination
9. leaders
11. to opt
12. *(he will)* come
13. *(I)* admit
16. angel
18. vile
19. *(he)* saw (1,2)

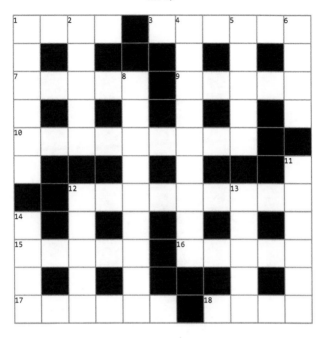

### Across

1. duets
3. spur
7. *(he)* comes
9. wear
10. to ban; to forbid
12. label; etiquette
15. *(I)* abuse
16. holy
17. *(I will)* kill
18. which

### Down

1. duty; to owe
2. west
4. several
5. road; route
6. to deny
8. *(he will)* terminate
11. mental
12. scum; foam
13. tribe; kindred
14. malt

No. 68

### Across
1. to massage
4. bags
8. bleak; dismal
9. drama
10. simply; merely
12. while (7,3)
16. to wax
17. hostage
18. *(I)* shave
19. *(you/tu)* pulled (2,4)

### Down
1. granny
2. *(I will)* be
3. exemplary
5. scrooge
6. slender
7. *(we were)* admitting
11. to season; to spice
13. nerves
14. boyfriend (2,3)
15. sown

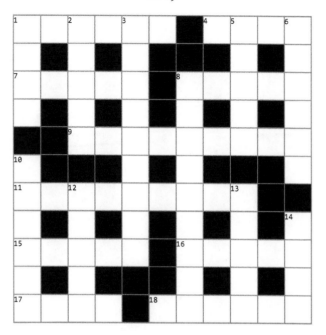

### Across

1. human
4. wizard
7. to mute
8. shine; flake
9. *(they were)* entering
11. *(you/tu)* destroyed (2,7)
15. *(we will)* go
16. flap
17. beds
18. *(you/tu)* smoked (2,4)

### Down

1. haste
2. monk
3. identities
5. driveway
6. entity
8. *(you will)* evacuate
10. facial
12. straight
13. taboo
14. *(he)* killed (1,3)

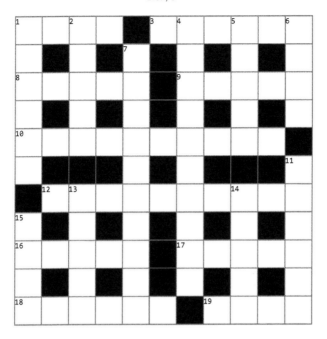

**Across**

1. oral
3. calculation
8. virus
9. written; script
10. resources
12. refinery
16. tree
17. wool
18. tinge
19. revised

**Down**

1. open
2. *(you will)* have
4. *(you/tu)* strangled (2,8)
5. string; rope; cord
6. lute
7. *(you/tu)* suffered (2,8)
11. retained
13. *(he)* obeyed (1,4)
14. ruin
15. *(he)* knows

No. 71

**Across**
1. ungrateful
4. shelter; lee
7. effect; spin
8. to quote
9. existence
11. *(I) wetted* (2,7)
15. to pray; to beseech
16. gains
17. ugly
18. kinds

**Down**
1. *(you will)* go
2. blunder
3. to attribute
5. staff; club
6. unreal
8. catalogue
10. reminder; encore
12. musty
13. sink
14. *(you/tu)* dare

No. 72

**Across**
1. armor
4. gone
7. dice
8. bull
10. broken
12. beep
14. *(you/tu)* go
15. jelly
17. *(they)* received (3,4)
20. bag; sack
21. *(I)* serve
22. virgin

**Down**
1. strenuous; arduous
2. measures
3. rat
5. *(I)* tie
6. team
9. everyday
11. magic
12. to wound
13. airplanes
16. saw
18. shooting
19. united

No. 73

### Across

1. temple
4. even; platter
8. case
9. wisdom
10. timid; coy
12. headland; cape
14. end; finish
15. to doubt
17. *(he)* blocked (1,6)
20. key
21. summers
22. twin

### Down

1. tact
2. mission
3. *(I)* read
5. lily
6. soaked
7. lamb
11. clue
12. *(I)* search
13. hungry
16. disappointed
18. dared
19. elect

## Across

1. *(I)* smoke
3. pictures
7. *(he)* retains
9. perky
10. *(I)* deny
12. reacted
15. among
16. zoo
18. duet; duo
19. bad; evil
21. *(he will)* handle
22. duel

## Down

1. flour
2. *(he)* places
4. word
5. *(you were)* winning
6. *(I)* know
8. to wander; to stray
11. exploit; feat
13. farewell
14. consul
17. edict
19. sea
20. *(he)* muted (1,2)

## Across

1. degrees
4. dress; gown; robe
8. ego
9. universe
10. opaque
12. fled
14. iron
15. to abuse
17. rarities
20. *(he)* lives
21. roast
22. nap

## Down

1. dome
2. to climb
3. touched
5. ode
6. throng
7. *(I)* received (2,4)
11. quarters
12. rivers
13. to offer
16. fireplace
18. rite
19. ski; skiing

## No. 76

### Across
1. words
3. bend
7. fall
9. (*I will*) say
10. exercises
12. to deliberate
15. before; front
16. envied
17. ivy
18. knell

### Down
1. to chew
2. sow
4. unspeakable
5. after; afterwards
6. exile
8. escalator
11. armies
12. drab
13. rival
14. rail

### Across
1. punished
3. reason
7. to fold
9. series; sequence
10. pending (2,7)
12. flattery
15. to spoil
16. hi; bye
17. *(he will)* shave
18. screams

### Down
1. paper
2. *(you/tu)* drown
4. plates
5. breasts
6. to deny
8. to restore
11. admittedly
12. parties
13. to groan
14. to act

### Across
1. sheriff
4. salty
8. *(I)* believe
9. useful; helpful
10. astonishment
12. architect
16. corny
17. icon
18. sense
19. client; patron

### Down
1. bags
2. sewer
3. insensitive
5. acid
6. riot
7. honeymoon (4,2,4)
11. legs
13. cannon; canon
14. throne
15. one hundred; cent

## No. 79

### Across

1. empty; vacuum
3. normal
7. any
9. probe
10. uncanny
12. pillows
15. total
16. grabbed
17. (I) crush
18. granny

### Down

1. meat; flesh
2. backdrop
4. obstacles
5. kitty
6. link; bond
8. news
11. (you/tu) liked (2,4)
12. to opt
13. demanded
14. (he) killed (1,3)

No. 80

### Across

1. to quiver
4. *(he)* wants
8. idiot; idiotic
9. asylum
10. *(they)* straighten
12. to dust
16. *(I)* operate
17. raids
18. to buck
19. to chip

### Down

1. fact
2. thorn
3. to interest
5. *(I)* demand
6. thirty
7. loosely (4,6)
11. stay
13. obese
14. exiles
15. to dare

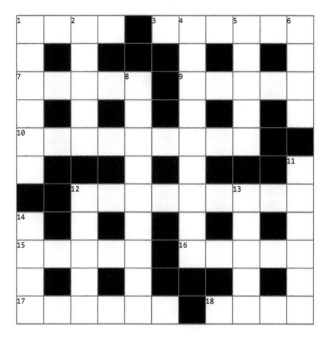

### Across
1. shackles
3. texts
7. rest
9. splash
10. assassins
12. to rule; to govern
15. oblivion; oversight
16. table
17. *(he will)* spoil
18. *(he)* feels

### Down
1. format
2. meal
4. *(they)* express
5. three
6. couch
8. to care (2,7)
11. *(they)* pray
12. gallows
13. noble
14. long; lengthy

**Across**
1. hoped
4. hedge
8. crazy; mad
9. to pat
10. *(you/tu)* came (2,4)
12. few
14. mature; ripe
15. pedestrian
17. natural
20. united
21. drunk; drunken
22. gestures

**Down**
1. elf
2. to push; to urge
3. rat
5. art
6. error; lapse
7. shy
11. empire
12. product
13. *(he)* lied (1,5)
16. wines
18. shooting
19. *(I)* tie

No. 83

**Across**

1. *(I)* add
4. block
7. *(I)* read
8. stressed
10. to help; to aid
12. through; per
14. six
15. outcome; outlet
17. relative
20. that; whom
21. tact
22. ring

**Down**

1. *(I)* read (2,2)
2. birds
3. heap
5. weary
6. *(he will)* create
9. laughs
11. finger
12. almost; nearly
13. mind; spirit
16. revised
18. lake
19. end; finish

No. 84

**Across**
1. vice
3. to hide
8. *(he)* obeyed (1,4)
9. Tuesday
10. *(we will)* exercise
12. compatible
16. reacted
17. oasis
18. runways
19. throws

**Down**
1. to mislead
2. tree
4. admiration
5. heron
6. raid
7. discipline
11. *(you/tu)* cease
13. yep; yup
14. hunch
15. overly

### Across
1. landmark
4. perished
8. shorts
9. to mute
10. *(they were)* receiving
12. willing; volunteer
16. dog
17. wool
18. *(you/tu)* kill
19. *(he)* raised (1,5)

### Down
1. *(I)* shave
2. prose
3. *(they)* retain
5. *(I)* avoid
6. inept; inane
7. *(he)* wrought (1,9)
11. lawyer; advocate
13. to gleam
14. ruin
15. weighed

No. 86

**Across**
1. slipped
4. laws
7. perky
8. *(they)* sleep
10. thoughts
12. flair; bounty
14. floor; ground; soil
15. *(I)* write
17. *(you/tu)* stayed (2,5)
20. *(he)* muted (1,2)
21. *(I)* handle
22. killers

**Down**
1. pledge
2. initial
3. south
5. ode
6. satin
9. to shave
11. swords
12. disappeared
13. aspect
16. duets
18. rite
19. elect

No. 87

### Across
1. *(he will)* smoke
4. cop
8. *(you will)* read
9. man
10. murderers
12. resources
16. to have
17. idol
18. handled
19. incense

### Down
1. threaded
2. margin
3. reservoirs
5. lamp
6. *(I)* dig
7. surgeon
11. *(he was)* screaming
13. sport
14. exodus
15. fires

## Across

1. despicable; abject
4. taste; flavour
7. *(you/tu)* go
8. minister; pa
10. immune
12. ego
14. *(I)* deny
15. *(they)* kill
17. seats
20. era
21. exile
22. bought

## Down

1. *(I)* saw (2,2)
2. justice; righteousness
3. headland; cape
5. *(I)* dare
6. drawer
9. monkey; ape
11. motorcycles
12. matter
13. *(I)* engage
16. sown
18. ski; skiing
19. bag; sack

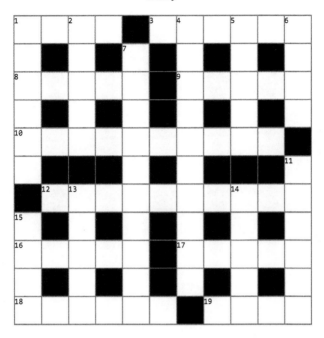

**Across**

1. *(he)* splits
3. outcomes
8. puppy; pup
9. to scream; to yell; to shout
10. assurances
12. *(they were)* walking
16. *(he)* ended (1,4)
17. streaks
18. turned
19. telly

**Down**

1. facial
2. *(you/tu)* drown
4. secondary
5. useful; helpful
6. *(he will)* be
7. attraction
11. *(he)* tested (1,5)
13. farewell
14. demanded
15. high; lofty

No. 90

### Across
1. bay
3. perfume; fragrance
8. breasts
9. finger nail
10. to interest
12. thirty-one (6,2,2)
16. denim
17. holy
18. cups
19. lasted

### Down
1. pelvis
2. idiot; idiotic
4. (we) ceased (5,5)
5. fig
6. mute
7. astronomy
11. insider; initiate
13. (I) render
14. tribe; kindred
15. edict

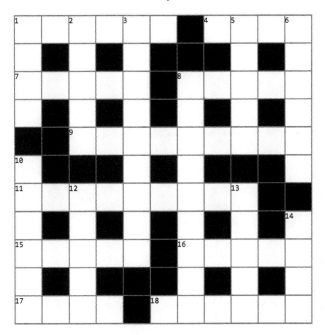

## Across

1. calls
4. long; lengthy
7. (you/vous) say
8. arena
9. sculptor
11. confidence; insurance
15. carpet; rug
16. (he) helped (1,4)
17. (I) serve
18. retained

## Down

1. strenuous; arduous
2. pasta
3. others (3,6)
5. obese
6. war; warfare
8. survey
10. cactus
12. to undermine; to sap
13. (I) demand
14. disappointed

No. 92

**Across**

1. effort; endeavor
4. hedge
8. fax
9. to pat
10. canvases
12. few
14. bus
15. pedestrian
17. tap
20. united
21. summers
22. cave

**Down**

1. elf
2. *(we were)* gazing
3. rat
5. art
6. error; lapse
7. *(he)* passed (1,5)
11. rabbits
12. product
13. boarded
16. vice
18. wheat
19. shooting

## Across

1. pineapple
4. *(he)* hangs
8. *(he)* created (1,4)
9. bust
10. bookshops
12. *(I was)* organizing
16. altar
17. tablecloth
18. *(he will)* say
19. degrees

## Down

1. *(he)* hated (1,3)
2. *(I will)* have
3. *(you/tu)* strangled (2,8)
5. trial; essay
6. goddess
7. obedience
11. lobster
13. to spoil
14. polluted
15. beaks

### Across

1. ruse
3. wrong
7. *(he)* admits
9. *(he will)* deny
10. disrespect
12. to transit
15. olive
16. zones
17. nap
18. rough

### Down

1. to react
2. to sow
4. *(you/vous)* reverse
5. west
6. vice
8. testament
11. *(I)* press
12. canvas; linen
13. strained; taut
14. month

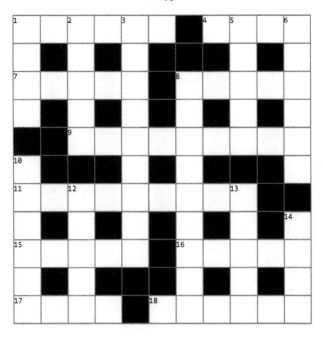

## Across

1. brooms
4. *(he)* sleeps
7. bonnet
8. gallows
9. narrator
11. to specify
15. road; route
16. wool
17. *(you will)* go
18. ring

## Down

1. ferries
2. rabbit
3. to ban; to forbid
5. shadow; shade
6. *(he will)* handle
8. grit
10. *(he)* exited (1,5)
12. scum; foam
13. ruin
14. revised

## Across

1. hungry
4. pale
8. *(he)* muted (1,2)
9. *(they)* crawl
10. yoghurt
12. pot; jar
14. fart
15. to keep; to guard
17. shack
20. that; whom
21. breed
22. *(he)* raised (1,5)

## Down

1. *(he)* butchers
2. *(he was)* treading
3. sea
5. age
6. entity
7. to mock
11. urgent
12. almost; nearly
13. to season; to spice
16. weighed
18. ferry
19. denied

No. 97

## Across

1. rare; scarce
3. *(he)* hung (1,5)
8. to tattoo
9. perky
10. hustler
12. grape
15. extinct
16. elect
18. iron
19. *(he was)* wanting
21. inept; inane
22. cube

## Down

1. rhythm
2. rite
4. through; per
5. neglected
6. *(I)* unite
7. *(I will)* kill
11. tank
13. intruder
14. chandelier
17. *(he)* fled (1,3)
19. *(he)* lives
20. *(he)* saw (1,2)

No. 98

**Across**
1. rifles
4. yoga
7. *(he)* says
8. *(he will)* mislead
10. pact
12. floor; ground; soil
14. mature; ripe
15. to roast
17. attended
20. pine
21. tact
22. open

**Down**
1. fade
2. to crouch (2,5)
3. related
5. ode
6. *(he)* talked (1,5)
9. agent
11. body; corps
12. rhyme
13. impact
16. *(he)* unites
18. bag; sack
19. touched

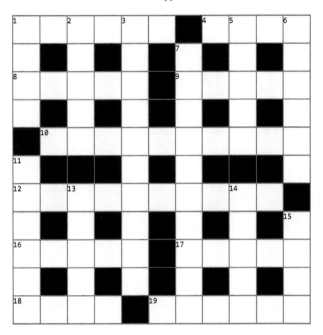

### Across
1. dial
4. shelter; lee
8. dance
9. heads
10. resilience
12. secondary
16. to park
17. effect; spin
18. *(he will)* be
19. *(he)* tested (1,5)

### Down
1. code
2. danced
3. *(you/vous)* ignored (4,6)
5. staff; club
6. outcomes
7. *(they were)* attracting
11. uses
13. to wax
14. rejection; refusal
15. *(he)* killed (1,3)

## Across

1. *(he)* poured (1,5)
4. bath
7. reacted
8. Tuesday
9. tenderness
11. outside
15. *(I was)* denying
16. blades
17. but; save
18. since

## Down

1. *(he will)* have
2. exact
3. *(you will)* bleed
5. after; afterwards
6. to snow
8. wonder
10. queens
12. squat
13. broken
14. *(you/tu)* dare

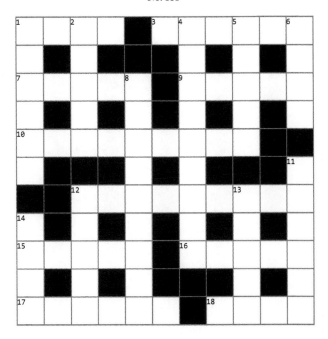

### Across

1. *(I)* lift
3. ungrateful
7. *(I)* hide
9. table
10. *(we were)* exercising
12. *(they were)* putting
15. bait
16. to mute
17. desert; wasteland
18. *(he)* splits

### Down

1. to release
2. cow
4. *(he was)* cleaning
5. dresses
6. *(you/tu)* kill
8. to delight
11. *(he)* waits
12. popes
13. *(I)* demand
14. raid

## Across

1. accused
4. station
7. gaping
8. straight
9. to distract
11. *(they)* walked (3,6)
15. *(he was)* killing
16. to wander; to stray
17. zone
18. armor

## Down

1. *(I)* drank (2,2)
2. hot; warm
3. satisfied
5. abolished
6. whole
8. headmaster; director
10. *(you/vous)* exit
12. train
13. nut
14. *(I)* create

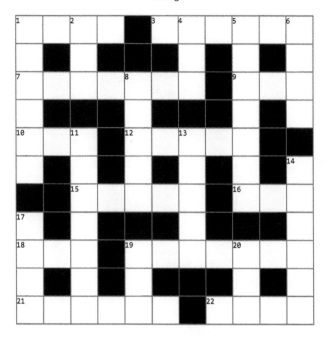

### Across

1. *(I)* saw (2,2)
3. nobles
7. waterfall; stunt
9. jerk
10. ski; skiing
12. asylum
15. discontinued
16. heap
18. weary
19. *(I)* saved (2,5)
21. slender
22. place; venue

### Down

1. *(I)* accuse
2. *(you/tu)* go
4. *(I)* dare
5. *(they)* battle
6. bags
8. *(I was)* having
11. incest
13. thoughts
14. *(you/tu)* lived (2,4)
17. knell
19. art
20. united

### Across

1. climbed
4. zealous
7. gains
8. opera
9. sadness; woe
11. *(you will)* pity
15. demanded
16. boyfriend (2,3)
17. *(I)* know
18. inmate

### Down

1. pledge
2. idiot; idiotic
3. passionate
5. swords
6. to mislead
8. *(they)* found (3,6)
10. calls
12. *(he)* ended (1,4)
13. stadium
14. god

No. 105

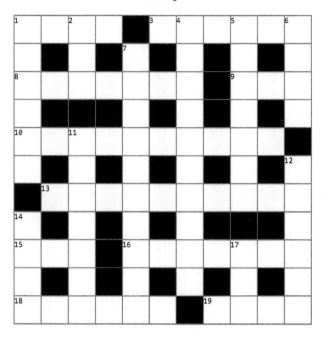

**Across**
1. golf
3. to massage
8. ear
9. south
10. *(you were)* reporting
13. to reappear
15. *(I)* read
16. to ignore; to disregard
18. misguided; errant
19. fireplace

**Down**
1. glory; fame
2. *(I)* tie
4. *(I)* coached (2,8)
5. suspect; suspicious
6. wrinkled
7. allocation
11. to press; to squeeze
12. recruit
14. elf
17. rat

## Across

1. judge
3. studies; studying
8. still; quiet
9. auditorium
10. exemplary
12. astrologer
16. grabbed
17. trial; essay
18. to stay
19. throws

## Down

1. jockey
2. jelly
4. to work; to labour
5. to fool; to con
6. *(he)* knows
7. temporary
11. doorsteps
13. breasts
14. gesture
15. to dare

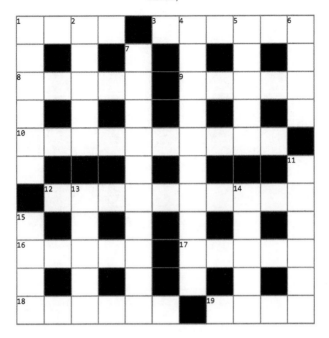

## Across

1. *(he)* hated (1,3)
3. sling
8. backdrop
9. among
10. to renew
12. to assassinate
16. wide; broad
17. obese
18. *(I)* exist
19. *(he)* feels

## Down

1. *(I)* lasted (2,4)
2. any
4. repression
5. norm
6. exile
7. *(they were)* finding
11. *(they)* pray
13. *(I will)* be
14. niece
15. *(I)* fold

No. 108

**Across**
1. father
3. valve
8. retarded
9. *(he)* saw (1,2)
10. *(I)* deny
12. treasure
15. to slap; to cuff
16. bag; sack
18. fart
19. hurricane
21. corset
22. ends

**Down**
1. parent
2. rite
4. related
5. *(we)* put
6. turn; ride
7. brutal
11. to exist
13. *(he will)* write
14. scenes
17. conveniently (1,3)
19. ode
20. perky

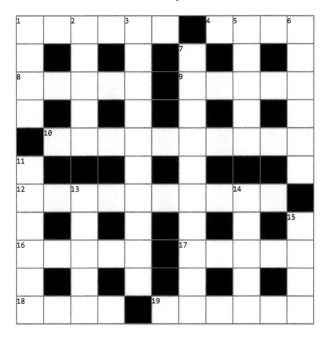

### Across

1. home; house
4. brief
8. time; weather
9. *(you will)* have
10. *(they)* ironed (3,7)
12. *(you will)* hug
16. spoke; ray
17. idol
18. salty
19. retained

### Down

1. words
2. immune
3. *(we were)* observing
5. laughs
6. spanking
7. street light
11. contempt; scorn
13. royal
14. exodus
15. revised

No. 110

**Across**
1. smoked
3. *(he)* promises
8. broken
9. thaw
10. to mount; to overlap
12. *(he will)* organize
16. *(he will)* know
17. naval
18. nap
19. neon

**Down**
1. fierce
2. mummy
4. reductions
5. magic
6. telly
7. formerly
11. balloon
13. road; route
14. envied
15. *(you/tu)* dare

No. 111

### Across

1. archway
4. granny
8. gin
9. *(they)* punished (3,4)
10. unreal
12. that; whom
14. floor; ground; soil
15. *(you will)* dare
17. *(they)* crawl
20. who
21. edict
22. *(he will)* scream

### Down

1. acute
2. central; pivotal
3. duet; duo
5. elect
6. to season; to spice
7. stall
11. schools
12. some
13. *(he)* held (1,5)
16. *(he will)* say
18. ego
19. shooting

No. 112

## Across
1. fox
4. fact
7. baths
8. respite
9. sculptor
11. to sit (4,5)
15. effect; spin
16. *(he)* helped (1,4)
17. *(I)* shave
18. income; revenue

## Down
1. dress; gown; robe
2. *(you/tu)* drown
3. comforting; reassuring
5. ample
6. *(he will)* handle
8. ironing
10. dreamer
12. rejection; refusal
13. sixteen
14. disappointed

### Across

1. vice
3. *(he will)* shave
8. *(he)* reduced (1,6)
9. through; per
10. *(he)* says
12. *(he)* smiled (1,5)
15. *(you/tu)* throw
16. six
18. beep
19. *(I)* suffer
21. serene
22. *(he)* follows

### Down

1. meat; flesh
2. key
4. art
5. *(you/tu)* hope
6. shelter; lee
7. mutant
11. to dip; to soak
13. dark; obscure
14. expert; adept
17. down (1,3)
19. ski; skiing
20. crazy; mad

## Across

1. bows
3. winters
8. popes
9. to fold
10. to interest
12. resilience
16. virtue
17. blades
18. entrance; entry
19. shackles

## Down

1. *(I)* prayed (2,4)
2. bonnet
4. impossible
5. *(I)* demand
6. *(he will)* be
7. *(you/tu)* articulated (2,8)
11. masses
13. written; script
14. *(I)* name
15. drunk; drunken

## No. 115

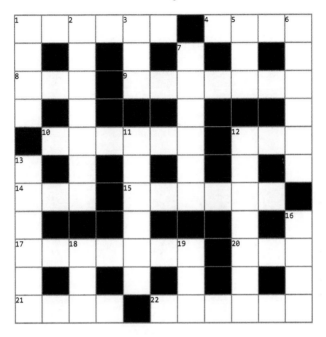

### Across

1. watch
4. *(they)* are
8. dowry
9. bull
10. signal
12. weary
14. view; sight
15. lane
17. shred
20. *(he)* muted (1,2)
21. breed
22. hanger

### Down

1. noon
2. notorious
3. rat
5. *(I)* dare
6. coughed
7. alley
11. to nest
12. glowing; glossy
13. to swallow
16. dawn
18. hustler
19. united

No. 116

### Across
1. angles
4. zone
7. flap
8. trait
9. *(they were)* tarrying
11. *(he was)* mistaking
15. to park
16. wool
17. *(I)* know
18. decree

### Down
1. *(he will)* have
2. gallows
3. outside
5. hostage
6. entity
8. wrought
10. pictures
12. departed
13. to sort
14. one hundred; cent

No. 117

## Across

1. outcomes
4. rough
8. *(I)* amuse
9. reacted
10. discipline
12. *(they were)* covering
16. union
17. taboo
18. vice
19. *(you/tu)* threw (2,4)

## Down

1. *(I will)* go
2. care; worry
3. *(we will)* exercise
5. boyfriend (2,3)
6. to demand; to require
7. properties
11. busy; occupied
13. *(he will)* unite
14. noble
15. judged

No. 118

## Across

1. *(he will)* judge
4. *(I)* spoil
7. perky
8. terror
10. to crumb
12. game
14. iron
15. heel
17. *(you/vous)* hope
20. lake
21. bags
22. purse; scholarship

## Down

1. judge
2. to climb
3. rite
5. age
6. error; lapse
9. rural
11. to note
12. to juggle
13. belongings
16. saw
18. peak
19. zoo

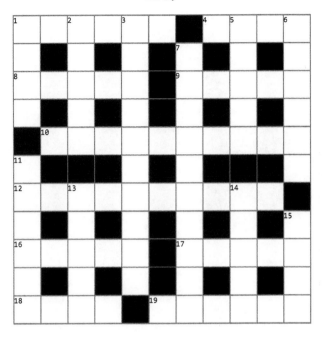

**Across**
1. ulcer
4. yoga
8. idiot; idiotic
9. dyed
10. *(they were)* finding
12. inventory
16. to hold
17. lamp
18. strong; loud
19. deceased

**Down**
1. *(I)* unite
2. to scream; to yell; to shout
3. *(he will)* revolve
5. olive
6. *(I)* handled (2,4)
7. *(he)* wrought (1,9)
11. fictional; fictitious
13. to come
14. crawled
15. weighed

**Across**

1. since
4. *(he)* knows
7. margin
8. beard
9. to ban; to forbid
11. solitary; solitaire
15. excess
16. to shave
17. *(you/tu)* kill
18. mind; spirit

**Down**

1. dome
2. among
3. identities
5. *(I will)* have
6. *(you will)* kill
8. barriers
10. aspect
12. loose; cowardly
13. soar
14. freight

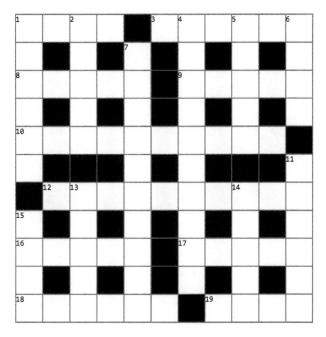

### Across
1. *(you/vous)* have
3. aerial
8. *(I was)* having
9. railing; ramp
10. situations
12. to consider; to regard
16. cotton
17. envied
18. neutral
19. knell

### Down
1. *(he)* passed (1,5)
2. exact
4. *(you will)* hug
5. immune
6. to deny
7. to assassinate
11. armies
13. *(they)* drank (3,2)
14. rival
15. scan

## Across

1. bag; sack
3. *(he)* learns
6. anxious
8. *(he)* lied (1,5)
9. elf
12. *(I)* deny
14. dared
15. to buck
17. swig
19. to tolerate
20. roller
21. dice

## Down

1. to crouch (2,5)
2. tank
3. *(he)* butchers
4. queens
5. ten
7. denied
10. leopard
11. enemies
13. unreal
16. island
18. strenuous; arduous
19. shooting

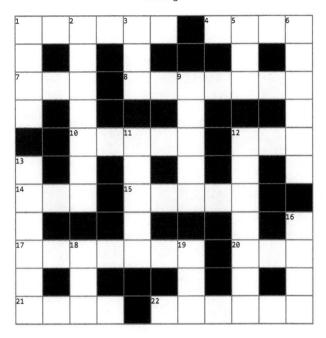

**Across**
1. madam
4. wise; sage
7. floor; ground; soil
8. rarities
10. Tuesday
12. fled
14. that; whom
15. cup
17. immoral
20. *(you/tu)* go
21. exile
22. top

**Down**
1. ante; wager
2. dilemma
3. sea
5. art
6. throng
9. raids
11. to roast
12. rivers
13. team
16. *(you/tu)* dare
18. ego
19. *(I)* tie

## Across

1. abuse
3. shooter
7. (I) abuse
9. ferry
10. to deliberate
12. agonizing
15. ranch
16. radish
17. stone
18. armed

## Down

1. (he) kept (1,5)
2. everyday
4. nurse
5. to wander; to stray
6. striped
8. to spit
11. (he) tested (1,5)
12. year
13. to help; to aid
14. overly

### Across

1. rude; impolite
4. folded
8. rat
9. wisdom
10. recruit
12. south
14. throw; cast
15. to mill; to grind
17. *(he will)* save
20. through; per
21. edict
22. desk

### Down

1. drunk; drunken
2. patient
3. weary
5. *(I)* read
6. extensive
7. lamb
11. to crawl; to creep
12. rhyme
13. adjusted
16. opening
18. united
19. *(he)* muted (1,2)

# Solutions

## No. 1

| p | r | o | m | p | t | ■ | l | o | g | é |
|---|---|---|---|---|---|---|---|---|---|---|
| e | ■ | r | ■ | i | ■ | ■ | ■ | d | ■ | g |
| n | i | e | ■ | c | o | n | s | e | i | l |
| d | ■ | i | ■ | ■ | ■ | i | ■ | ■ | ■ | i |
| ■ | ■ | l | a | i | n | e | ■ | d | é | s |
| p | l | ■ | n | ■ | r | ■ | a | ■ | ■ | e |
| l | i | e | ■ | d | r | a | i | n | ■ | ■ |
| a | ■ | ■ | ■ | e | ■ | ■ | ■ | s | ■ | r |
| i | n | d | e | x | e | r | ■ | a | t | u |
| n | ■ | o | ■ | ■ | ■ | a | ■ | i | ■ | s |
| s | e | n | s | ■ | a | t | e | s | t | é |

## No. 2

| m | o | r | d | r | e | ■ | a | t | u | é |
|---|---|---|---|---|---|---|---|---|---|---|
| i | ■ | e | ■ | i | ■ | é | ■ | i | ■ | m |
| d | i | t | ■ | t | a | v | e | r | n | e |
| i | ■ | o | ■ | ■ | ■ | a | ■ | ■ | ■ | u |
| ■ | q | u | e | u | e | s | ■ | d | o | t |
| a | ■ | r | ■ | s | ■ | i | ■ | i | ■ | e |
| t | a | s | ■ | a | f | f | i | l | é | ■ |
| o | ■ | ■ | ■ | g | ■ | ■ | ■ | e | ■ | s |
| m | é | t | i | e | r | s | ■ | m | a | c |
| e | ■ | i | ■ | s | ■ | k | ■ | m | ■ | a |
| s | a | c | s | ■ | p | i | g | e | o | n |

## No. 3

| f | u | i | t | e | s | ■ | d | o | r | t |
|---|---|---|---|---|---|---|---|---|---|---|
| a | ■ | r | ■ | n | ■ | ■ | ■ | u | ■ | i |
| d | r | o | i | t | ■ | h | i | v | e | r |
| e | ■ | n | ■ | o | ■ | y | ■ | r | ■ | e |
| ■ | ■ | s | c | u | l | p | t | e | u | r |
| f | ■ | ■ | r | ■ | o | ■ | ■ | ■ | ■ | a |
| o | n | t | m | a | r | c | h | é | ■ | ■ |
| u | ■ | i | ■ | g | ■ | r | ■ | v | ■ | é |
| r | è | g | l | e | ■ | i | d | i | o | t |
| m | ■ | r | ■ | ■ | ■ | t | ■ | e | ■ | é |
| i | r | e | z | ■ | g | e | n | r | e | s |

## No. 4

| c | a | m | i | o | n | ■ | p | l | a | t |
|---|---|---|---|---|---|---|---|---|---|---|
| a | ■ | a | ■ | s | ■ | c | ■ | a | ■ | i |
| l | a | c | ■ | é | c | r | a | s | e | r |
| e | ■ | a | ■ | ■ | ■ | i | ■ | ■ | ■ | o |
| ■ | a | b | b | a | y | e | ■ | g | a | i |
| s | ■ | r | ■ | r | ■ | r | ■ | r | ■ | r |
| o | s | e | ■ | g | l | a | c | e | s | ■ |
| l | ■ | ■ | ■ | i | ■ | ■ | ■ | n | ■ | c |
| e | m | b | a | l | l | é | ■ | a | v | u |
| i | ■ | a | ■ | e | ■ | l | ■ | d | ■ | i |
| l | i | t | s | ■ | a | u | t | e | u | r |

## No. 5

| h | u | m | a | i | n | ■ | p | a | g | e |
|---|---|---|---|---|---|---|---|---|---|---|
| â | ■ | o | ■ | d | ■ | a | ■ | m | ■ | x |
| t | a | i | r | e | ■ | s | h | o | r | t |
| e | ■ | s | ■ | n | ■ | é | ■ | u | ■ | a |
| ■ | d | i | c | t | a | t | u | r | e | s |
| r | ■ | ■ | ■ | i | ■ | r | ■ | ■ | ■ | e |
| a | v | e | z | f | l | a | t | t | é | ■ |
| n | ■ | f | ■ | i | ■ | n | ■ | r | ■ | o |
| g | a | f | f | e | ■ | g | a | i | n | s |
| e | ■ | e | ■ | r | ■ | l | ■ | e | ■ | e |
| r | ô | t | i | ■ | m | é | p | r | i | s |

## No. 6

| a | g | a | r | d | é | ■ | d | a | i | s |
|---|---|---|---|---|---|---|---|---|---|---|
| i | ■ | n | ■ | i | ■ | p | ■ | d | ■ | i |
| g | a | n | t | s | ■ | e | x | o | d | e |
| u | ■ | é | ■ | t | ■ | r | ■ | r | ■ | s |
| ■ | r | e | d | r | e | s | s | e | n | t |
| j | ■ | ■ | ■ | a | ■ | p | ■ | ■ | ■ | e |
| a | r | c | h | i | t | e | c | t | e | ■ |
| r | ■ | r | ■ | r | ■ | c | ■ | a | ■ | p |
| d | r | a | m | e | ■ | t | a | b | l | e |
| i | ■ | b | ■ | z | ■ | i | ■ | o | ■ | s |
| n | i | e | r | ■ | a | f | o | u | l | é |

# Solutions

## No. 7

```
■  e  n  d  u  r  a  n  c  e  ■
s  ■  e  ■  r  ■  r  ■  a  ■  e
p  a  r  ■  n  ■  t  a  p  i  s
e  ■  f  r  e  t  ■  b  ■  ■  p
c  a  s  ■  ■  a  ■  a  u  n  i
t  ■  ■  s  a  l  u  t  ■  ■  o
a  i  b  u  ■  o  ■  ■  g  i  n
c  ■  ■  i  ■  n  o  i  r  ■  n
l  a  m  e  s  ■  b  ■  è  r  e
e  ■  û  ■  u  ■  é  ■  v  ■  r
■  t  r  a  d  u  i  s  e  z  ■
```

## No. 8

```
n  o  u  n  o  u  ■  s  o  n  t
o  ■  t  ■  n  ■  i  ■  t  ■  r
t  e  i  n  t  ■  d  r  a  b  e
e  ■  l  ■  r  ■  é  ■  g  ■  n
■  r  e  t  e  n  a  i  e  n  t
d  ■  ■  ■  p  ■  l  ■  ■  ■  e
o  p  é  r  a  t  e  u  r  s  ■
u  ■  c  ■  s  ■  m  ■  i  ■  n
t  i  r  e  s  ■  e  n  v  i  é
e  ■  i  ■  é  ■  n  ■  a  ■  o
r  o  s  é  ■  é  t  a  l  o  n
```

## No. 9

```
g  l  o  i  r  e  ■  d  e  n  t
a  ■  m  ■  i  ■  a  ■  x  ■  e
g  i  b  e  t  ■  s  e  a  u  x
e  ■  r  ■  u  ■  s  ■  c  ■  t
■  r  e  p  a  r  a  î  t  r  e
b  ■  ■  ■  l  ■  s  ■  ■  ■  s
a  r  b  r  i  s  s  e  a  u  ■
r  ■  r  ■  s  ■  i  ■  i  ■  o
m  e  u  r  t  ■  n  a  g  e  r
a  ■  m  ■  e  ■  e  ■  l  ■  a
n  i  e  s  ■  o  r  t  e  i  l
```

## No. 10

```
s  e  r  u  e  r  ■  q  u  e  l
o  ■  e  ■  n  ■  ■  n  ■  u  ■
f  o  n  d  s  ■  é  p  a  i  s
a  ■  d  ■  u  ■  q  ■  m  ■  t
■  ■  s  e  s  o  u  c  i  e  r
i  ■  ■  ■  p  ■  i  ■  ■  ■  e
m  e  r  v  e  i  l  l  e  ■  ■
a  ■  u  ■  n  ■  i  ■  x  ■  o
g  a  r  e  s  ■  b  a  i  n  s
e  ■  a  ■  ■  ■  r  ■  l  ■  e
s  a  l  é  ■  c  e  s  s  e  r
```

## No. 11

```
a  r  d  u  ■  b  l  e  s  s  e
g  ■  é  ■  ■  i  ■  o  ■  ■  x
i  n  s  c  r  i  s  ■  m  o  i
r  ■  ■  ■  ô  ■  ■  ■  m  ■  l
a  t  u  ■  t  â  c  h  e  ■  ■
i  ■  r  ■  i  ■  i  ■  i  ■  c
■  ■  g  o  r  g  e  ■  l  i  e
à  ■  e  ■  ■  u  ■  ■  ■  ■  s
p  i  n  ■  f  i  x  i  o  n  s
i  ■  c  ■  u  ■  ■  ■  d  ■  e
c  h  e  m  i  n  ■  j  e  t  s
```

## No. 12

```
t  r  a  c  a  s  ■  f  r  i  t
i  ■  r  ■  v  ■  m  ■  é  ■  â
g  a  m  m  e  ■  a  p  p  â  t
e  ■  é  ■  z  ■  l  ■  i  ■  e
■  s  e  l  a  m  e  n  t  e  r
c  ■  ■  ■  j  ■  n  ■  ■  ■  a
a  f  f  r  o  n  t  a  i  s  ■
l  ■  a  ■  u  ■  e  ■  m  ■  r
c  o  u  r  t  ■  n  a  p  p  e
u  ■  t  ■  é  ■  d  ■  i  ■  v
l  i  e  n  ■  b  u  r  e  a  u
```

# Solutions

| p | e | u | p | l | e | ■ | t | â | t | é |
|---|---|---|---|---|---|---|---|---|---|---|
| o | ■ | n | ■ | y | ■ | ■ | g | ■ | ■ | g |
| s | k | i | ■ | s | a | u | v | e | r | a |
| e | ■ | v | ■ | ■ | ■ | n | ■ | ■ | ■ | r |
| ■ | ■ | e | s | s | a | i | ■ | q | u | e |
| o | ■ | r | ■ | a | ■ | r | ■ | u | ■ | r |
| b | u | s | ■ | p | l | a | g | e | ■ | ■ |
| s | ■ | ■ | ■ | e | ■ | ■ | ■ | l | ■ | r |
| c | a | b | a | r | e | t | ■ | q | u | i |
| u | ■ | a | ■ | ■ | ■ | a | ■ | u | ■ | d |
| r | a | c | e | ■ | a | s | p | e | s | é |

| e | s | t | i | m | e | ■ | a | n | g | e |
|---|---|---|---|---|---|---|---|---|---|---|
| l | ■ | e | ■ | e | ■ | a | ■ | i | ■ | n |
| f | a | x | ■ | r | a | m | p | e | n | t |
| e | ■ | t | ■ | ■ | ■ | u | ■ | ■ | ■ | i |
| ■ | f | u | i | t | e | s | ■ | r | a | t |
| b | ■ | r | ■ | r | ■ | e | ■ | a | ■ | é |
| â | m | e | ■ | é | c | r | a | s | e | ■ |
| t | ■ | ■ | ■ | s | ■ | ■ | ■ | i | ■ | f |
| a | r | é | s | o | l | u | ■ | o | s | e |
| r | ■ | l | ■ | r | ■ | n | ■ | n | ■ | r |
| d | e | u | x | ■ | t | i | s | s | u | s |

| b | o | u | e | ■ | m | e | n | t | a | l |
|---|---|---|---|---|---|---|---|---|---|---|
| a | ■ | n | ■ | ■ | x | ■ | a | ■ | ■ | i |
| s | k | i | e | r | ■ | p | a | c | t | e |
| s | ■ | o | ■ | i | ■ | a | ■ | h | ■ | r |
| i | n | n | o | c | e | n | c | e | ■ | ■ |
| n | ■ | ■ | ■ | a | ■ | s | ■ | ■ | ■ | v |
| ■ | ■ | c | o | n | f | i | a | n | c | e |
| c | ■ | i | ■ | e | ■ | o | ■ | e | ■ | i |
| h | i | v | e | r | ■ | n | a | v | a | l |
| o | ■ | i | ■ | i | ■ | ■ | ■ | e | ■ | l |
| c | a | l | m | e | r | ■ | c | u | b | e |

| g | l | i | s | s | é | ■ | p | é | r | i |
|---|---|---|---|---|---|---|---|---|---|---|
| é | ■ | n | ■ | a | ■ | ■ | ■ | m | ■ | r |
| m | â | t | ■ | c | l | a | q | u | e | r |
| i | ■ | é | ■ | ■ | ■ | u | ■ | ■ | ■ | é |
| ■ | ■ | r | a | b | a | t | ■ | v | u | e |
| a | ■ | ê | ■ | é | ■ | r | ■ | o | ■ | l |
| b | a | t | ■ | a | r | e | v | u | ■ | ■ |
| o | ■ | ■ | ■ | n | ■ | ■ | ■ | l | ■ | d |
| r | e | l | a | t | i | f | ■ | a | v | u |
| d | ■ | i | ■ | ■ | ■ | e | ■ | i | ■ | e |
| é | t | é | s | ■ | b | r | u | t | a | l |

| p | l | i | e | ■ | f | l | é | t | r | i |
|---|---|---|---|---|---|---|---|---|---|---|
| e | ■ | d | ■ | a | ■ | u | ■ | u | ■ | r |
| n | o | i | e | s | ■ | n | i | e | r | a |
| d | ■ | o | ■ | c | ■ | e | ■ | r | ■ | i |
| r | e | t | i | e | n | d | r | a | i | ■ |
| e | ■ | ■ | ■ | n | ■ | e | ■ | ■ | ■ | o |
| ■ | r | a | s | s | e | m | b | l | e | r |
| p | ■ | n | ■ | e | ■ | i | ■ | a | ■ | d |
| e | x | c | l | u | ■ | e | r | r | e | r |
| n | ■ | r | ■ | r | ■ | l | ■ | g | ■ | e |
| d | é | e | s | s | e | ■ | s | e | n | s |

| a | r | m | é | ■ | r | é | s | i | d | u |
|---|---|---|---|---|---|---|---|---|---|---|
| s | ■ | o | ■ | ■ | ■ | v | ■ | d | ■ | n |
| a | i | t | u | é | ■ | a | b | o | l | i |
| u | ■ | o | ■ | p | ■ | c | ■ | l | ■ | s |
| v | e | s | t | i | b | u | l | e | ■ | ■ |
| é | ■ | ■ | ■ | l | ■ | e | ■ | ■ | ■ | a |
| ■ | ■ | g | u | e | r | r | i | e | r | s |
| t | ■ | a | ■ | p | ■ | a | ■ | x | ■ | a |
| r | a | i | d | s | ■ | s | a | i | s | i |
| u | ■ | n | ■ | i | ■ | ■ | ■ | g | ■ | m |
| c | a | s | i | e | r | ■ | t | é | l | é |

# Solutions

## No. 19

```
a f f a m é ■ s o j a
l ■ u ■ y ■ p ■ t ■ s
l a m e s ■ a v a i t
é ■ e ■ t ■ r ■ g ■ i
■ o r d i n a t e u r
a ■ ■ ■ c ■ p ■ ■ ■ é
d i s c i p l i n e ■
é ■ e ■ s ■ u ■ o ■ u
f o r u m ■ i m m u n
i ■ a ■ e ■ e ■ m ■ i
é d i t ■ a s p e c t
```

## No. 20

```
b r e v e t ■ f r e t
a ■ x ■ x ■ c ■ i ■ r
c a p ■ p a l e t t e
s ■ l ■ l ■ a ■ ■ ■ n
■ t o n i t r u a n t
e ■ i ■ q ■ i ■ r ■ e
r e t o u r n e r a ■
r ■ ■ ■ i ■ e ■ ê ■ s
e n v i e n t ■ t i c
u ■ a ■ z ■ t ■ e ■ i
r a s e ■ b e u r r e
```

## No. 21

```
c o d e ■ s o u c i s
e ■ é ■ ■ d ■ o ■ e ■
r é s i s t e ■ f i n
c ■ ■ e ■ ■ f ■ t ■ ■
l i s ■ c o t e r ■ ■
e ■ p ■ t ■ â ■ e ■ e
■ ■ o u e s t ■ s i x
s ■ n ■ ■ e ■ ■ ■ p ■
l a s ■ m a r i a g e
i ■ o ■ o ■ ■ t ■ r ■
p a r e i l ■ s u i t
```

## No. 22

```
b û c h e r ■ o n c e
o ■ o ■ n ■ ê ■ o ■ f
r e p a s ■ t a r i f
d ■ i ■ u ■ e ■ m ■ e
■ r e d r e s s e n t
m ■ ■ ■ p ■ r ■ ■ ■ s
a i p r o t e s t é ■
i ■ o ■ i ■ v ■ a ■ t
s o u r d ■ e s s o r
o ■ p ■ s ■ n ■ s ■ o
n i e r ■ j u m e a u
```

## No. 23

```
p a i r ■ n o t a i s
a ■ m ■ ■ f ■ p ■ a ■
n a p p e ■ f e r a i
i ■ i ■ s ■ i ■ è ■ s
e x e r c i c e s ■ ■
r ■ ■ ■ r ■ i ■ ■ ■ c
■ ■ p r o m e n a d e
p ■ â ■ q ■ u ■ r ■ s
o n t b u ■ x é r è s
u ■ e ■ e ■ ■ ê ■ e ■
r a s e r a ■ ê t e s
```

## No. 24

```
c h a i r e ■ t a c t
a ■ u ■ é ■ ■ p ■ a ■
m a r i s ■ c o u p s
p ■ a ■ u ■ a ■ n ■ s
■ ■ s o l i t a i r e
r ■ ■ ■ t ■ a ■ ■ ■ s
o b s t a c l e s ■ ■
c ■ a ■ t ■ o ■ o ■ s
h é l a s ■ g a f f e
e ■ e ■ ■ ■ u ■ a ■ r
r a r e ■ m e s s e s
```

# Solutions

## No. 25

| | | | | | | | | | | |
|---|---|---|---|---|---|---|---|---|---|---|
| d | u | r | e | ■ | s | o | c | i | a | l |
| é | ■ | a | ■ | p | ■ | s | ■ | n | ■ | o |
| c | i | t | e | r | n | e | ■ | f | o | u |
| i | ■ | ■ | é | ■ | ■ | ■ | ■ | o | ■ | p |
| d | u | o | ■ | c | e | n | d | r | e | ■ |
| é | ■ | u | ■ | i | ■ | o | ■ | m | ■ | g |
| ■ | a | b | u | s | e | r | ■ | é | l | u |
| o | ■ | l | ■ | ■ | m | ■ | ■ | ■ | ■ | e |
| s | k | i | ■ | f | l | a | t | t | e | r |
| e | ■ | e | ■ | u | ■ | l | ■ | i | ■ | r |
| r | a | s | o | i | r | ■ | o | r | g | e |

## No. 26

| | | | | | | | | | | |
|---|---|---|---|---|---|---|---|---|---|---|
| p | h | a | s | e | s | ■ | d | a | i | s |
| â | ■ | n | ■ | n | ■ | ■ | ■ | c | ■ | i |
| t | é | n | o | r | ■ | t | o | i | l | e |
| e | ■ | é | ■ | i | ■ | o | ■ | d | ■ | s |
| ■ | ■ | e | x | c | e | l | l | e | n | t |
| a | ■ | ■ | ■ | h | ■ | é | ■ | ■ | ■ | e |
| m | i | l | l | i | a | r | d | s | ■ | ■ |
| u | ■ | o | ■ | r | ■ | a | ■ | i | ■ | a |
| s | a | u | r | a | ■ | n | a | g | e | r |
| e | ■ | p | ■ | ■ | ■ | c | ■ | n | ■ | d |
| r | a | s | é | ■ | r | e | t | e | n | u |

## No. 27

| | | | | | | | | | | |
|---|---|---|---|---|---|---|---|---|---|---|
| m | i | l | i | e | u | ■ | d | e | n | t |
| i | ■ | a | ■ | x | ■ | ■ | s | ■ | r | |
| d | a | n | s | e | ■ | b | u | s | t | e |
| i | ■ | c | ■ | m | ■ | e | ■ | a | ■ | i |
| ■ | ■ | e | m | p | ê | c | h | i | e | z |
| b | ■ | ■ | ■ | t | ■ | q | ■ | ■ | ■ | e |
| a | p | p | l | i | q | u | e | r | ■ | ■ |
| s | ■ | e | ■ | o | ■ | e | ■ | o | ■ | b |
| s | a | l | o | n | ■ | t | a | b | l | e |
| i | ■ | l | ■ | ■ | ■ | e | ■ | e | ■ | c |
| n | i | e | s | ■ | c | r | i | s | e | s |

## No. 28

| | | | | | | | | | | |
|---|---|---|---|---|---|---|---|---|---|---|
| c | o | n | s | u | l | ■ | p | l | a | t |
| a | ■ | i | ■ | t | ■ | a | ■ | u | ■ | o |
| r | é | a | g | i | ■ | t | e | n | d | u |
| i | ■ | i | ■ | l | ■ | r | ■ | d | ■ | r |
| ■ | a | s | p | i | r | a | t | i | o | n |
| c | ■ | ■ | ■ | s | ■ | v | ■ | ■ | ■ | é |
| o | n | t | r | e | p | a | s | s | é | ■ |
| m | ■ | r | ■ | r | ■ | i | ■ | e | ■ | s |
| b | o | i | r | a | ■ | l | a | i | n | e |
| a | ■ | e | ■ | i | ■ | l | ■ | z | ■ | r |
| t | i | r | é | ■ | r | é | c | e | n | t |

## No. 29

| | | | | | | | | | | |
|---|---|---|---|---|---|---|---|---|---|---|
| a | s | a | u | v | é | ■ | d | é | f | i |
| i | ■ | i | ■ | u | ■ | r | ■ | m | ■ | n |
| m | â | t | ■ | e | x | é | c | u | t | e |
| e | ■ | e | ■ | ■ | ■ | p | ■ | ■ | ■ | p |
| ■ | a | i | a | i | d | é | ■ | v | i | t |
| a | ■ | n | ■ | d | ■ | t | ■ | e | ■ | e |
| j | e | t | ■ | o | c | é | a | n | s | ■ |
| u | ■ | ■ | ■ | l | ■ | ■ | ■ | i | ■ | t |
| s | a | u | v | e | r | a | ■ | o | s | é |
| t | ■ | n | ■ | s | ■ | r | ■ | n | ■ | l |
| é | d | i | t | ■ | a | t | e | s | t | é |

## No. 30

| | | | | | | | | | | |
|---|---|---|---|---|---|---|---|---|---|---|
| v | o | l | c | a | n | ■ | p | l | i | e |
| i | ■ | u | ■ | r | ■ | s | ■ | y | ■ | r |
| d | i | t | ■ | b | l | e | s | s | e | r |
| e | ■ | t | ■ | i | ■ | r | ■ | ■ | ■ | e |
| ■ | a | e | n | t | r | e | t | e | n | u |
| f | ■ | n | ■ | r | ■ | p | ■ | n | ■ | r |
| o | u | t | r | a | g | e | a | n | t | ■ |
| r | ■ | ■ | ■ | i | ■ | n | ■ | e | ■ | s |
| c | a | b | a | r | e | t | ■ | m | a | c |
| e | ■ | a | ■ | e | ■ | i | ■ | i | ■ | i |
| r | a | c | e | ■ | b | r | o | s | s | e |

# Solutions

## No. 31

| m | ê | m | e | █ | p | l | a | c | e | r |
|---|---|---|---|---|---|---|---|---|---|---|
| a | █ | e | █ | █ | a | █ | o | █ | o | |
| d | é | t | a | i | l | s | █ | p | u | b |
| a | █ | █ | r | █ | █ | i | █ | e | | |
| m | e | r | █ | o | p | é | r | a | █ | |
| e | █ | e | █ | n | █ | c | █ | i | █ | a |
| █ | █ | t | i | s | s | u | █ | t | a | s |
| a | █ | a | █ | █ | m | █ | █ | █ | | j |
| f | e | r | █ | g | r | e | n | a | d | e |
| u | █ | d | █ | a | █ | █ | t | █ | t | |
| i | n | é | d | i | t | █ | d | u | r | é |

## No. 32

| t | i | r | e | n | t | █ | v | o | e | u |
|---|---|---|---|---|---|---|---|---|---|---|
| â | █ | o | █ | i | █ | m | █ | d | █ | s |
| t | i | c | █ | é | g | a | r | e | r | a |
| e | █ | h | █ | █ | r | █ | █ | █ | | g |
| █ | f | e | r | m | e | r | █ | l | i | e |
| a | █ | r | █ | â | █ | o | █ | é | █ | s |
| d | é | s | █ | c | o | n | v | o | i | █ |
| m | █ | █ | h | █ | █ | █ | p | █ | | f |
| e | n | s | u | e | u | r | █ | a | v | u |
| t | █ | a | █ | r | █ | i | █ | r | █ | i |
| s | a | c | s | █ | é | t | u | d | e | s |

## No. 33

| j | a | r | d | i | n | █ | s | a | g | e |
|---|---|---|---|---|---|---|---|---|---|---|
| u | █ | a | █ | n | █ | █ | s | █ | x | |
| g | a | i | n | s | █ | s | o | u | c | i |
| e | █ | d | █ | t | █ | é | █ | n | █ | g |
| █ | s | e | r | é | d | u | i | r | e | |
| o | █ | █ | u | █ | u | █ | █ | █ | r | |
| s | a | c | r | i | f | i | e | r | █ | █ |
| e | █ | a | █ | r | █ | s | █ | u | █ | n |
| r | o | c | h | e | █ | a | c | r | é | é |
| a | █ | h | █ | █ | n | █ | a | █ | o | |
| i | r | e | z | █ | é | t | a | l | o | n |

## No. 34

| c | o | u | p | e | r | █ | b | i | l | e |
|---|---|---|---|---|---|---|---|---|---|---|
| r | █ | n | █ | x | █ | █ | █ | d | █ | x |
| i | d | i | o | t | █ | t | r | o | n | c |
| s | █ | r | █ | é | █ | e | █ | l | █ | i |
| █ | a | r | r | a | n | g | e | n | t | |
| i | █ | █ | █ | i | █ | t | █ | █ | █ | é |
| m | é | p | r | e | n | a | i | t | █ | |
| p | █ | o | █ | u | █ | t | █ | r | █ | r |
| a | i | m | e | r | █ | i | c | ô | n | e |
| c | █ | m | █ | █ | █ | v | █ | n | █ | v |
| t | u | e | s | █ | r | e | v | e | n | u |

## No. 35

| c | h | a | i | r | e | █ | s | o | j | a |
|---|---|---|---|---|---|---|---|---|---|---|
| o | █ | e | █ | a | █ | t | █ | s | █ | b |
| d | i | x | █ | t | a | u | r | e | a | u |
| e | █ | c | █ | █ | m | █ | █ | █ | s | |
| █ | a | u | d | a | c | e | █ | q | u | e |
| a | █ | s | █ | s | █ | u | █ | u | █ | r |
| b | l | é | █ | p | a | r | l | e | r | █ |
| b | █ | █ | █ | e | █ | █ | l | █ | f | |
| a | f | f | e | c | t | é | █ | q | u | i |
| y | █ | u | █ | t | █ | l | █ | u | █ | n |
| e | x | i | l | █ | s | u | j | e | t | s |

## No. 36

| b | u | r | e | a | u | █ | s | a | u | f |
|---|---|---|---|---|---|---|---|---|---|---|
| u | █ | i | █ | i | █ | █ | █ | d | █ | l |
| t | i | r | e | s | █ | g | o | m | m | e |
| s | █ | e | █ | o | █ | r | █ | e | █ | u |
| █ | s | o | u | h | a | i | t | e | r | |
| h | █ | █ | █ | t | █ | v | █ | █ | █ | s |
| a | p | p | r | e | n | i | e | z | █ | |
| s | █ | a | █ | n | █ | l | █ | è | █ | f |
| a | s | c | r | u | █ | l | i | b | r | e |
| r | █ | t | █ | █ | █ | o | █ | r | █ | r |
| d | i | e | u | █ | e | n | c | e | n | s |

# Solutions

## No. 37

| p | i | o | n | ■ | a | r | g | e | n | t |
|---|---|---|---|---|---|---|---|---|---|---|
| o | ■ | n | ■ | p | ■ | é | ■ | x | ■ | y |
| t | â | c | h | e | ■ | c | h | a | m | p |
| e | ■ | l | ■ | r | ■ | o | ■ | c | ■ | e |
| a | v | e | z | c | o | m | p | t | é | ■ |
| u | ■ | ■ | e | ■ | p | ■ | ■ | ■ | ■ | é |
| ■ | p | r | o | p | r | e | m | e | n | t |
| c | ■ | e | ■ | t | ■ | n | ■ | x | ■ | o |
| a | i | f | u | i | ■ | s | a | i | s | i |
| m | ■ | u | ■ | o | ■ | e | ■ | g | ■ | l |
| p | o | s | o | n | s | ■ | z | é | l | é |

## No. 38

| a | c | h | è | t | e | ■ | c | r | i | é |
|---|---|---|---|---|---|---|---|---|---|---|
| t | ■ | a | ■ | e | ■ | a | ■ | a | ■ | c |
| u | n | i | o | n | ■ | f | u | m | e | r |
| é | ■ | n | ■ | d | ■ | f | ■ | p | ■ | a |
| ■ | m | e | u | r | t | r | i | e | r | s |
| l | ■ | ■ | e | ■ | o | ■ | ■ | ■ | ■ | e |
| o | r | n | e | m | e | n | t | a | l | ■ |
| i | ■ | e | ■ | e | ■ | t | ■ | c | ■ | d |
| s | a | v | o | n | ■ | a | a | i | d | é |
| i | ■ | e | ■ | t | ■ | i | ■ | d | ■ | ç |
| r | h | u | m | ■ | e | s | v | e | n | u |

## No. 39

| r | i | d | é | ■ | a | v | e | n | i | r |
|---|---|---|---|---|---|---|---|---|---|---|
| é | ■ | u | ■ | f | ■ | i | ■ | u | ■ | ô |
| p | r | o | d | u | i | t | ■ | a | r | t |
| é | ■ | ■ | g | ■ | ■ | ■ | n | ■ | ■ | i |
| t | i | r | ■ | a | s | v | é | c | u | ■ |
| é | ■ | i | ■ | c | ■ | o | ■ | e | ■ | c |
| ■ | a | s | r | e | ç | u | ■ | s | k | i |
| à | ■ | q | ■ | ■ | ■ | d | ■ | ■ | ■ | b |
| p | o | u | ■ | v | i | r | t | u | e | l |
| i | ■ | e | ■ | u | ■ | a | ■ | n | ■ | e |
| c | a | s | i | e | r | ■ | h | i | e | r |

## No. 40

| a | i | a | i | d | é | ■ | p | i | r | e |
|---|---|---|---|---|---|---|---|---|---|---|
| i | ■ | n | ■ | i | ■ | a | ■ | s | ■ | n |
| g | a | n | t | s | ■ | d | r | o | i | t |
| u | ■ | é | ■ | t | ■ | i | ■ | l | ■ | i |
| ■ | r | e | d | r | e | s | s | e | n | t |
| r | ■ | ■ | a | ■ | t | ■ | ■ | ■ | ■ | é |
| a | v | a | r | i | c | i | e | u | x | ■ |
| m | ■ | i | ■ | r | ■ | n | ■ | n | ■ | a |
| p | e | l | l | e | ■ | g | r | a | i | n |
| e | ■ | e | ■ | z | ■ | u | ■ | m | ■ | g |
| r | a | s | e | ■ | h | é | s | i | t | e |

## No. 41

| q | u | e | l | ■ | m | a | g | n | a | t |
|---|---|---|---|---|---|---|---|---|---|---|
| u | ■ | x | ■ | ■ | c | ■ | i | ■ | ■ | â |
| a | f | i | l | é | ■ | c | h | a | n | t |
| t | ■ | l | ■ | p | ■ | o | ■ | i | ■ | é |
| r | e | s | t | a | u | r | e | s | ■ | ■ |
| e | ■ | ■ | ■ | r | ■ | d | ■ | ■ | ■ | a |
| ■ | ■ | d | é | g | u | i | s | a | i | t |
| g | ■ | o | ■ | n | ■ | e | ■ | i | ■ | e |
| é | t | u | d | e | ■ | z | o | n | e | s |
| r | ■ | z | ■ | n | ■ | ■ | ■ | s | ■ | t |
| é | m | e | u | t | e | ■ | f | i | l | é |

## No. 42

| l | u | s | t | r | e | ■ | s | o | n | t |
|---|---|---|---|---|---|---|---|---|---|---|
| o | ■ | k | ■ | i | ■ | b | ■ | d | ■ | i |
| g | a | i | ■ | t | e | r | r | e | u | r |
| é | ■ | p | ■ | ■ | ■ | û | ■ | ■ | ■ | e |
| ■ | s | p | i | n | a | l | ■ | é | m | u |
| e | ■ | e | ■ | o | ■ | e | ■ | c | ■ | r |
| f | e | r | ■ | m | a | r | r | o | n | ■ |
| f | ■ | ■ | b | ■ | ■ | ■ | u | ■ | ■ | o |
| e | n | v | e | r | r | a | ■ | t | a | s |
| t | ■ | i | ■ | e | ■ | t | ■ | e | ■ | e |
| s | a | l | é | ■ | o | u | v | r | i | r |

# Solutions

## No. 43

| c | i | g | a | r | e | ■ | m | a | g | e |
|---|---|---|---|---|---|---|---|---|---|---|
| a | ■ | i | ■ | e | ■ | c | ■ | m | ■ | x |
| r | a | b | a | t | ■ | a | o | b | é | i |
| i | ■ | e | ■ | e | ■ | r | ■ | r | ■ | s |
| ■ | é | t | o | n | n | e | m | e | n | t |
| c | ■ | ■ | a | ■ | s | ■ | ■ | ■ | ■ | e |
| a | r | b | r | i | s | s | e | a | u | ■ |
| c | ■ | a | ■ | e | ■ | e | ■ | i | ■ | o |
| t | a | l | o | n | ■ | r | a | d | i | s |
| u | ■ | a | ■ | t | ■ | a | ■ | e | ■ | e |
| s | u | i | e | ■ | b | i | è | r | e | s |

## No. 44

| a | r | c | s | ■ | p | l | a | c | e | r |
|---|---|---|---|---|---|---|---|---|---|---|
| g | ■ | r | ■ | ■ | i | ■ | o | ■ | u |
| i | d | i | o | t | ■ | v | a | c | h | e |
| r | ■ | m | ■ | e | ■ | r | ■ | h | ■ | r |
| a | p | e | r | s | u | a | d | é | ■ | ■ |
| i | ■ | ■ | t | ■ | i | ■ | ■ | ■ | ■ | c |
| ■ | ■ | t | r | a | n | s | i | t | e | r |
| é | a | ■ | m | ■ | o | ■ | i | ■ | i |
| d | o | n | n | e | ■ | n | e | r | f | s |
| i | ■ | t | ■ | n | ■ | ■ | ■ | e | ■ |
| t | r | e | n | t | e | ■ | g | r | i | s |

## No. 45

| a | d | u | l | t | e | ■ | o | r | a | l |
|---|---|---|---|---|---|---|---|---|---|---|
| i | ■ | t | ■ | i | ■ | ■ | a | ■ | i |
| m | o | i | ■ | c | a | r | o | t | t | e |
| e | ■ | l | ■ | ■ | o | ■ | ■ | ■ | r |
| ■ | ■ | i | d | é | e | s | ■ | m | e | r |
| c | ■ | t | ■ | l | ■ | e | ■ | a | ■ | e |
| l | i | é | ■ | e | s | s | o | r | ■ | ■ |
| a | ■ | ■ | v | ■ | ■ | ■ | i | ■ | b |
| p | r | o | c | é | d | é | ■ | a | v | u |
| e | ■ | s | ■ | ■ | l | ■ | g | ■ | t |
| t | u | e | s | ■ | p | u | r | e | t | é |

## No. 46

| v | e | r | s | e | z | ■ | h | u | e | r |
|---|---|---|---|---|---|---|---|---|---|---|
| o | ■ | i | ■ | x | ■ | ■ | s | ■ | a |
| m | o | r | n | e | ■ | n | o | u | e | s |
| i | ■ | e | ■ | m | ■ | a | ■ | r | ■ | e |
| ■ | ■ | s | u | p | é | r | i | e | u | r |
| n | ■ | ■ | ■ | t | ■ | r | ■ | ■ | a |
| i | m | p | r | i | m | a | i | s | ■ |
| c | ■ | a | ■ | o | ■ | t | ■ | o | ■ | â |
| h | é | r | o | n | ■ | e | f | f | e | t |
| e | ■ | m | ■ | ■ | u | ■ | a | ■ | r |
| r | a | i | d | ■ | c | r | a | s | s | e |

## No. 47

| v | a | c | h | e | s | ■ | m | a | i | n |
|---|---|---|---|---|---|---|---|---|---|---|
| i | ■ | o | ■ | x | ■ | a | ■ | p | ■ | e |
| c | a | n | n | e | ■ | s | o | u | c | i |
| e | ■ | t | ■ | m | ■ | a | ■ | n | ■ | g |
| ■ | t | e | m | p | o | r | a | i | r | e |
| a | ■ | ■ | ■ | l | ■ | t | ■ | ■ | r |
| c | h | e | v | a | l | i | e | r | s | ■ |
| c | ■ | n | ■ | i | ■ | c | ■ | u | ■ | p |
| r | ê | v | e | r | ■ | u | n | i | r | a |
| o | ■ | i | ■ | e | ■ | l | ■ | n | ■ | y |
| c | r | é | e | ■ | a | é | l | e | v | é |

## No. 48

| c | o | u | v | r | e | ■ | p | o | s | e |
|---|---|---|---|---|---|---|---|---|---|---|
| i | ■ | t | ■ | é | ■ | ■ | u | ■ | x |
| t | e | i | n | t | ■ | p | a | v | o | t |
| e | ■ | l | ■ | i | ■ | u | ■ | r | ■ | a |
| ■ | ■ | e | s | c | a | l | i | e | r | s |
| g | ■ | ■ | ■ | e | ■ | s | ■ | ■ | e |
| r | é | p | o | n | d | a | i | s | ■ |
| ê | ■ | o | ■ | c | ■ | t | ■ | h | ■ | b |
| l | a | i | n | e | ■ | i | d | o | l | e |
| e | ■ | n | ■ | ■ | o | ■ | r | ■ | c |
| r | a | g | e | ■ | u | n | i | t | é | s |

# Solutions

## No. 49

| p | o | n | t | ■ | é | c | u | m | e | r |
|---|---|---|---|---|---|---|---|---|---|---|
| o | ■ | i | ■ | v | ■ | a | ■ | e | ■ | a |
| t | r | é | s | o | r | s | ■ | m | û | r |
| a | ■ | ■ | ■ | u | ■ | ■ | b | ■ | ■ | e |
| g | i | n | ■ | d | é | s | e | r | t | ■ |
| e | ■ | u | ■ | r | ■ | i | ■ | e | ■ | a |
| ■ | b | a | g | a | g | e | ■ | s | a | c |
| p | ■ | n | ■ | ■ | ■ | s | ■ | ■ | ■ | h |
| l | a | c | ■ | f | a | t | i | g | u | é |
| a | ■ | e | ■ | o | ■ | e | ■ | u | ■ | r |
| t | i | s | s | u | s | ■ | p | é | r | i |

## No. 50

| v | i | a | n | d | e | ■ | v | o | l | é |
|---|---|---|---|---|---|---|---|---|---|---|
| i | ■ | r | ■ | é | ■ | ■ | ■ | l | ■ | c |
| d | é | b | a | t | ■ | p | r | i | e | r |
| e | ■ | r | ■ | e | ■ | a | ■ | v | ■ | a |
| ■ | ■ | e | n | s | u | s | p | e | n | s |
| g | ■ | ■ | ■ | t | ■ | s | ■ | ■ | ■ | e |
| a | p | p | r | e | n | i | e | z | ■ | ■ |
| g | ■ | r | ■ | r | ■ | o | ■ | è | ■ | p |
| n | i | e | r | a | ■ | n | o | b | l | e |
| e | ■ | n | ■ | ■ | ■ | n | ■ | r | ■ | n |
| r | i | d | é | ■ | d | é | f | e | n | d |

## No. 51

| t | i | r | o | i | r | ■ | v | i | s | é |
|---|---|---|---|---|---|---|---|---|---|---|
| é | ■ | a | ■ | n | ■ | a | ■ | m | ■ | l |
| l | a | m | e | s | ■ | r | a | m | p | e |
| é | ■ | p | ■ | t | ■ | t | ■ | u | ■ | v |
| ■ | r | é | s | i | l | i | e | n | c | e |
| a | ■ | ■ | n | ■ | c | ■ | ■ | ■ | r | ■ |
| p | a | r | a | c | h | u | t | e | r | ■ |
| p | ■ | a | ■ | t | ■ | l | ■ | x | ■ | t |
| e | s | s | a | i | ■ | a | m | o | u | r |
| l | ■ | e | ■ | f | ■ | i | ■ | d | ■ | o |
| s | e | r | a | ■ | e | s | v | e | n | u |

## No. 52

| i | m | p | a | c | t | ■ | d | o | s | e |
|---|---|---|---|---|---|---|---|---|---|---|
| v | ■ | a | ■ | a | ■ | a | ■ | d | ■ | r |
| r | i | t | ■ | p | a | s | t | e | u | r |
| e | ■ | i | ■ | ■ | r | ■ | ■ | ■ | e | ■ |
| ■ | n | e | u | t | r | e | ■ | p | e | u |
| a | ■ | n | ■ | a | ■ | v | ■ | o | ■ | r |
| j | e | t | ■ | r | a | u | q | u | e | ■ |
| u | ■ | ■ | d | ■ | ■ | ■ | s | ■ | e | ■ |
| s | e | c | r | e | t | s | ■ | s | i | x |
| t | ■ | l | ■ | r | ■ | o | ■ | e | ■ | i |
| é | t | é | s | ■ | f | l | o | r | a | l |

## No. 53

| d | é | p | o | s | e | ■ | r | a | c | e |
|---|---|---|---|---|---|---|---|---|---|---|
| e | ■ | l | ■ | a | ■ | ■ | v | ■ | n |
| u | n | a | m | i | ■ | p | u | a | n | t |
| x | ■ | i | ■ | g | ■ | l | ■ | r | ■ | i |
| ■ | ■ | s | o | n | n | a | i | e | n | t |
| c | ■ | ■ | e | ■ | ç | ■ | ■ | ■ | é |
| o | b | s | e | r | v | a | i | s | ■ | ■ |
| u | ■ | a | ■ | a | ■ | i | ■ | e | ■ | f |
| p | a | p | e | s | ■ | e | r | r | e | r |
| e | ■ | e | ■ | ■ | ■ | n | ■ | a | ■ | e |
| r | i | r | e | ■ | s | t | r | i | c | t |

## No. 54

| s | a | l | é | ■ | é | p | i | c | e | r |
|---|---|---|---|---|---|---|---|---|---|---|
| a | ■ | a | ■ | p | ■ | e | ■ | e | ■ | a |
| t | e | s | t | e | n | t | ■ | s | k | i |
| i | ■ | ■ | ■ | u | ■ | ■ | s | ■ | e |
| n | i | e | ■ | p | o | c | h | e | s | ■ |
| é | ■ | x | ■ | l | ■ | i | ■ | n | ■ | o |
| ■ | l | i | s | e | n | t | ■ | t | a | s |
| c | ■ | s | ■ | ■ | ■ | i | ■ | ■ | ■ | e |
| a | r | t | ■ | é | v | e | n | t | e | r |
| m | ■ | e | ■ | m | ■ | z | ■ | i | ■ | a |
| p | a | r | f | u | m | ■ | b | r | a | s |

# Solutions

## No. 55

| t | i | m | i | d | e | ■ | f | o | r | t |
|---|---|---|---|---|---|---|---|---|---|---|
| y | ■ | o | ■ | é | ■ | s | ■ | s | ■ | o |
| p | a | r | ■ | m | o | i | n | e | a | u |
| e | ■ | d | ■ | o | ■ | m | ■ | ■ | ■ | r |
| ■ | p | e | r | c | e | p | t | i | o | n |
| m | ■ | n | ■ | r | ■ | l | ■ | g | ■ | é |
| o | u | t | r | a | g | e | a | n | t | ■ |
| i | ■ | ■ | ■ | t | ■ | m | ■ | o | ■ | ê |
| n | o | t | o | i | r | e | ■ | r | a | t |
| e | ■ | i | ■ | e | ■ | n | ■ | e | ■ | e |
| s | a | c | s | ■ | u | t | é | r | u | s |

## No. 56

| a | s | o | u | r | i | ■ | a | f | u | i |
|---|---|---|---|---|---|---|---|---|---|---|
| b | ■ | m | ■ | e | ■ | a | ■ | e | ■ | n |
| r | a | b | a | t | ■ | p | o | m | m | e |
| i | ■ | r | ■ | i | ■ | p | ■ | m | ■ | p |
| ■ | r | e | c | e | v | a | i | e | n | t |
| d | ■ | ■ | ■ | n | ■ | r | ■ | ■ | ■ | e |
| i | n | j | o | n | c | t | i | o | n | ■ |
| c | ■ | u | ■ | e | ■ | e | ■ | n | ■ | f |
| t | y | r | a | n | ■ | n | a | g | e | r |
| e | ■ | y | ■ | t | ■ | i | ■ | l | ■ | i |
| r | a | s | e | ■ | u | r | g | e | n | t |

## No. 57

| p | e | r | c | e | r | ■ | f | i | n | s |
|---|---|---|---|---|---|---|---|---|---|---|
| â | ■ | u | ■ | x | ■ | ■ | m | ■ | v |   |
| t | i | r | e | t | ■ | c | o | p | i | e |
| e | ■ | a | ■ | é | ■ | h | ■ | i | ■ | l |
| ■ | ■ | l | a | r | g | e | m | e | n | t |
| a | ■ | ■ | ■ | i | ■ | v | ■ | ■ | ■ | e |
| m | é | p | r | e | n | a | i | t | ■ | ■ |
| i | ■ | a | ■ | u | ■ | l | ■ | r | ■ | s |
| c | i | r | e | r | ■ | i | c | ô | n | e |
| a | ■ | m | ■ | ■ | ■ | e | ■ | n | ■ | n |
| l | a | i | d | ■ | p | r | i | e | n | t |

## No. 58

| p | o | r | t | e | z | ■ | r | h | u | m |
|---|---|---|---|---|---|---|---|---|---|---|
| i | ■ | e | ■ | n | ■ | ■ | ■ | a | ■ | i |
| e | f | f | e | t | ■ | é | p | i | n | e |
| u | ■ | u | ■ | o | ■ | p | ■ | n | ■ | t |
| ■ | ■ | s | a | u | v | a | i | e | n | t |
| c | ■ | ■ | ■ | r | ■ | r | ■ | ■ | ■ | e |
| a | i | é | p | a | r | g | n | é | ■ | ■ |
| l | ■ | c | ■ | g | ■ | n | ■ | p | ■ | a |
| c | o | l | l | e | ■ | e | x | a | c | t |
| u | ■ | a | ■ | ■ | ■ | n | ■ | i | ■ | u |
| l | i | t | s | ■ | a | t | e | s | t | é |

## No. 59

| a | i | p | e | s | é | ■ | z | é | l | é |
|---|---|---|---|---|---|---|---|---|---|---|
| i | ■ | l | ■ | e | ■ | m | ■ | v | ■ | m |
| b | l | a | n | c | ■ | a | v | i | d | e |
| u | ■ | î | ■ | o | ■ | l | ■ | t | ■ | u |
| ■ | é | t | o | n | n | e | m | e | n | t |
| d | ■ | ■ | ■ | d | ■ | n | ■ | ■ | ■ | e |
| o | n | t | p | a | r | t | a | g | é | ■ |
| u | ■ | é | ■ | i | ■ | e | ■ | i | ■ | f |
| t | e | n | i | r | ■ | n | a | v | a | l |
| e | ■ | o | ■ | e | ■ | d | ■ | r | ■ | o |
| r | a | r | e | ■ | b | u | r | e | a | u |

## No. 60

| r | a | s | é | ■ | t | e | n | t | e | s |
|---|---|---|---|---|---|---|---|---|---|---|
| é | ■ | e | ■ | ■ | x | ■ | o | ■ | e |   |
| a | n | i | m | é | ■ | a | i | m | e | r |
| g | ■ | n | ■ | p | ■ | m | ■ | b | ■ | s |
| i | n | s | t | r | u | i | r | e | ■ | ■ |
| r | ■ | ■ | ■ | o | ■ | n | ■ | ■ | ■ | a |
| ■ | ■ | j | e | u | n | e | s | s | e | s |
| l | ■ | o | ■ | v | ■ | r | ■ | e | ■ | v |
| u | n | i | r | a | ■ | a | a | i | d | é |
| t | ■ | e | ■ | n | ■ | ■ | ■ | z | ■ | c |
| h | é | s | i | t | e | ■ | r | e | v | u |

# Solutions

## No. 61

| a | b | r | û | l | é | ⬛ | o | s | e | s |
|---|---|---|---|---|---|---|---|---|---|---|
| r | ⬛ | e | ⬛ | a | ⬛ | ⬛ | a | ⬛ | i | ⬛ |
| d | i | t | ⬛ | c | a | n | i | c | h | e |
| u | ⬛ | i | ⬛ | ⬛ | o | ⬛ | ⬛ | ⬛ | ⬛ | s |
| ⬛ | ⬛ | e | s | s | a | i | ⬛ | d | o | t |
| o | ⬛ | n | ⬛ | a | ⬛ | e | ⬛ | i | ⬛ | e |
| b | a | t | ⬛ | v | a | s | e | s | ⬛ | ⬛ |
| s | ⬛ | ⬛ | o | ⬛ | ⬛ | ⬛ | p | ⬛ | ⬛ | a |
| c | a | b | a | n | o | n | ⬛ | u | n | i |
| u | ⬛ | o | ⬛ | ⬛ | i | ⬛ | t | ⬛ | ⬛ | e |
| r | i | x | e | ⬛ | d | é | t | e | n | u |

## No. 62

| v | a | i | n | c | u | ⬛ | d | é | f | i |
|---|---|---|---|---|---|---|---|---|---|---|
| i | ⬛ | n | ⬛ | a | ⬛ | ⬛ | l | ⬛ | ⬛ | n |
| s | u | d | ⬛ | p | r | o | d | u | i | t |
| a | ⬛ | e | ⬛ | ⬛ | a | ⬛ | ⬛ | ⬛ | ⬛ | r |
| ⬛ | x | é | r | è | s | ⬛ | p | e | u | ⬛ |
| a | ⬛ | e | ⬛ | i | ⬛ | i | ⬛ | e | ⬛ | s |
| f | e | r | ⬛ | r | a | s | e | r | ⬛ | ⬛ |
| f | ⬛ | ⬛ | e | ⬛ | ⬛ | ⬛ | d | ⬛ | ⬛ | o |
| a | c | c | u | s | e | r | ⬛ | a | t | u |
| m | ⬛ | l | ⬛ | ⬛ | i | ⬛ | n | ⬛ | ⬛ | ï |
| é | t | é | s | ⬛ | s | t | a | t | u | e |

## No. 63

| a | i | v | u | ⬛ | m | o | n | t | r | e |
|---|---|---|---|---|---|---|---|---|---|---|
| g | ⬛ | a | ⬛ | ⬛ | r | ⬛ | o | ⬛ | ⬛ | x |
| n | i | c | h | e | ⬛ | p | a | r | t | i |
| e | ⬛ | h | ⬛ | n | ⬛ | h | ⬛ | d | ⬛ | l |
| a | i | e | n | t | r | e | v | u | ⬛ | ⬛ |
| u | ⬛ | ⬛ | r | ⬛ | l | ⬛ | ⬛ | ⬛ | ⬛ | a |
| ⬛ | r | é | a | g | i | r | o | n | s | ⬛ |
| v | ⬛ | o | ⬛ | i | ⬛ | n | ⬛ | l | ⬛ | a |
| i | m | m | u | n | ⬛ | s | a | i | s | i |
| o | ⬛ | p | ⬛ | e | ⬛ | ⬛ | ⬛ | v | ⬛ | m |
| l | e | t | t | r | e | ⬛ | p | e | s | é |

## No. 64

| f | o | i | n | ⬛ | o | c | é | a | n | s |
|---|---|---|---|---|---|---|---|---|---|---|
| o | ⬛ | d | ⬛ | e | ⬛ | i | ⬛ | p | ⬛ | e |
| u | n | i | o | n | ⬛ | g | a | r | e | r |
| l | ⬛ | o | ⬛ | v | ⬛ | a | ⬛ | è | ⬛ | a |
| e | n | t | r | e | p | r | i | s | e | ⬛ |
| r | ⬛ | ⬛ | l | ⬛ | e | ⬛ | ⬛ | ⬛ | ⬛ | d |
| ⬛ | i | m | p | o | r | t | a | n | c | e |
| o | ⬛ | a | ⬛ | p | ⬛ | t | ⬛ | o | ⬛ | g |
| s | i | r | o | p | ⬛ | e | r | r | e | r |
| e | ⬛ | i | ⬛ | e | ⬛ | s | ⬛ | m | ⬛ | é |
| r | a | s | e | r | a | ⬛ | j | e | t | s |

## No. 65

| t | h | o | n | ⬛ | d | o | u | t | e | s |
|---|---|---|---|---|---|---|---|---|---|---|
| r | ⬛ | d | ⬛ | c | ⬛ | s | ⬛ | r | ⬛ | a |
| a | b | e | i | l | l | e | ⬛ | é | m | u |
| p | ⬛ | ⬛ | i | ⬛ | ⬛ | s | ⬛ | f | ⬛ | ⬛ |
| p | a | r | ⬛ | m | e | n | t | o | r | ⬛ |
| e | ⬛ | e | ⬛ | a | ⬛ | o | ⬛ | r | ⬛ | c |
| ⬛ | p | l | u | t | ô | t | ⬛ | s | k | i |
| i | ⬛ | a | ⬛ | ⬛ | i | ⬛ | ⬛ | ⬛ | ⬛ | t |
| v | i | t | ⬛ | a | v | e | r | t | i | r |
| r | ⬛ | i | ⬛ | r | ⬛ | z | ⬛ | i | ⬛ | o |
| e | f | f | e | t | s | ⬛ | s | c | a | n |

## No. 66

| g | r | o | t | t | e | ⬛ | m | â | l | e |
|---|---|---|---|---|---|---|---|---|---|---|
| o | ⬛ | i | ⬛ | a | ⬛ | ⬛ | g | ⬛ | ⬛ | x |
| l | a | s | ⬛ | s | é | c | h | e | r | a |
| f | ⬛ | e | ⬛ | ⬛ | h | ⬛ | ⬛ | ⬛ | ⬛ | m |
| ⬛ | a | d | o | r | e | ⬛ | v | u | e | ⬛ |
| a | ⬛ | u | ⬛ | p | ⬛ | f | ⬛ | i | ⬛ | n |
| d | i | x | ⬛ | t | a | s | s | e | ⬛ | ⬛ |
| m | ⬛ | ⬛ | e | ⬛ | ⬛ | ⬛ | n | ⬛ | ⬛ | a |
| e | n | v | e | r | r | a | ⬛ | d | o | n |
| t | ⬛ | i | ⬛ | ⬛ | v | ⬛ | r | ⬛ | ⬛ | g |
| s | a | l | é | ⬛ | a | u | d | a | c | e |

# Solutions

## No. 67

| d | u | o | s | ■ | é | p | e | r | o | n |
|---|---|---|---|---|---|---|---|---|---|---|
| e | ■ | u | ■ | ■ | l | ■ | o | ■ | ■ | i |
| v | i | e | n | t | ■ | u | s | u | r | e |
| o | ■ | s | ■ | e | ■ | s | ■ | t | ■ | r |
| i | n | t | e | r | d | i | r | e | ■ | ■ |
| r | ■ | ■ | m | ■ | e | ■ | ■ | ■ | ■ | m |
| ■ | ■ | é | t | i | q | u | e | t | t | e |
| m | ■ | c | ■ | n | ■ | r | ■ | r | ■ | n |
| a | b | u | s | e | ■ | s | a | i | n | t |
| l | ■ | m | ■ | r | ■ | ■ | ■ | b | ■ | a |
| t | u | e | r | a | i | ■ | q | u | e | l |

## No. 68

| m | a | s | s | e | r | ■ | s | a | c | s |
|---|---|---|---|---|---|---|---|---|---|---|
| é | ■ | e | ■ | x | ■ | a | ■ | v | ■ | v |
| m | o | r | n | e | ■ | d | r | a | m | e |
| é | ■ | a | ■ | m | ■ | m | ■ | r | ■ | l |
| ■ | s | i | m | p | l | e | m | e | n | t |
| é | ■ | ■ | ■ | l | ■ | t | ■ | ■ | ■ | e |
| p | e | n | d | a | n | t | q | u | e | ■ |
| i | ■ | e | ■ | i | ■ | i | ■ | n | ■ | s |
| c | i | r | e | r | ■ | o | t | a | g | e |
| e | ■ | f | ■ | e | ■ | n | ■ | m | ■ | m |
| r | a | s | e | ■ | a | s | t | i | r | é |

## No. 69

| h | u | m | a | i | n | ■ | m | a | g | e |
|---|---|---|---|---|---|---|---|---|---|---|
| â | ■ | o | ■ | d | ■ | ■ | l | ■ | ■ | n |
| t | a | i | r | e | ■ | é | c | l | a | t |
| e | ■ | n | ■ | n | ■ | v | ■ | é | ■ | i |
| ■ | ■ | e | n | t | r | a | i | e | n | t |
| f | ■ | ■ | i | ■ | c | ■ | ■ | ■ | ■ | é |
| a | s | d | é | t | r | u | i | t | ■ | ■ |
| c | ■ | r | ■ | é | ■ | e | ■ | a | ■ | a |
| i | r | o | n | s | ■ | r | a | b | a | t |
| a | ■ | i | ■ | ■ | a | ■ | o | ■ | ■ | u |
| l | i | t | s | ■ | a | s | f | u | m | é |

## No. 70

| o | r | a | l | ■ | c | a | l | c | u | l |
|---|---|---|---|---|---|---|---|---|---|---|
| u | ■ | u | ■ | a | ■ | s | ■ | o | ■ | u |
| v | i | r | u | s | ■ | é | c | r | i | t |
| e | ■ | a | ■ | s | ■ | t | ■ | d | ■ | h |
| r | e | s | s | o | u | r | c | e | s | ■ |
| t | ■ | ■ | ■ | u | ■ | a | ■ | ■ | ■ | r |
| ■ | r | a | f | f | i | n | e | r | i | e |
| s | ■ | o | ■ | f | ■ | g | ■ | u | ■ | t |
| a | r | b | r | e | ■ | l | a | i | n | e |
| i | ■ | é | ■ | r | ■ | é | ■ | n | ■ | n |
| t | e | i | n | t | e | ■ | r | e | v | u |

## No. 71

| i | n | g | r | a | t | ■ | a | b | r | i |
|---|---|---|---|---|---|---|---|---|---|---|
| r | ■ | a | ■ | t | ■ | ■ | â | ■ | ■ | r |
| e | f | f | e | t | ■ | c | i | t | e | r |
| z | ■ | f | ■ | r | ■ | a | ■ | o | ■ | é |
| ■ | ■ | e | x | i | s | t | e | n | c | e |
| r | ■ | ■ | ■ | b | ■ | a | ■ | ■ | ■ | l |
| a | i | m | o | u | i | l | l | é | ■ | ■ |
| p | ■ | o | ■ | e | ■ | o | ■ | v | ■ | o |
| p | r | i | e | r | ■ | g | a | i | n | s |
| e | ■ | s | ■ | ■ | u | ■ | e | ■ | ■ | e |
| l | a | i | d | ■ | g | e | n | r | e | s |

## No. 72

| a | r | m | u | r | e | ■ | a | l | l | é |
|---|---|---|---|---|---|---|---|---|---|---|
| r | ■ | e | ■ | a | ■ | ■ | i | ■ | ■ | q |
| d | é | s | ■ | t | a | u | r | e | a | u |
| u | ■ | u | ■ | ■ | s | ■ | ■ | ■ | ■ | i |
| ■ | ■ | r | o | m | p | u | ■ | b | i | p |
| a | ■ | e | ■ | a | ■ | e | ■ | l | ■ | e |
| v | a | s | ■ | g | e | l | é | e | ■ | ■ |
| i | ■ | ■ | i | ■ | ■ | ■ | s | ■ | ■ | s |
| o | n | t | r | e | ç | u | ■ | s | a | c |
| n | ■ | i | ■ | ■ | n | ■ | e | ■ | ■ | i |
| s | e | r | s | ■ | v | i | e | r | g | e |

# Solutions

## No. 73

```
t e m p l e ■ p l a t
a ■ i ■ i ■ a ■ y ■ r
c a s ■ s a g e s s e
t ■ s ■ ■ n ■ ■ ■ ■ m
■ t i m i d e ■ c a p
a ■ o ■ n ■ a ■ h ■ é
f i n ■ d o u t e r ■
f ■ ■ i ■ ■ ■ r ■ ■ d
a b o u c h é ■ c l é
m ■ s ■ e ■ l ■ h ■ ç
é t é s ■ j u m e a u
```

## No. 74

```
f u m e ■ i m a g e s
a ■ e ■ ■ o ■ a ■ ■ a
r e t i e n t ■ g a i
i ■ ■ r ■ ■ ■ n ■ ■ s
n i e ■ r é a g i ■ ■
e ■ x ■ e ■ d ■ e ■ c
■ ■ p a r m i ■ z o o
é ■ l ■ ■ ■ e ■ ■ ■ n
d u o ■ m a u v a i s
i ■ i ■ e ■ ■ ■ t ■ u
t â t e r a ■ d u e l
```

## No. 75

```
d e g r é s ■ r o b e
ô ■ r ■ m ■ a ■ d ■ s
m o i ■ u n i v e r s
e ■ m ■ ■ r ■ ■ ■ ■ a
■ o p a q u e ■ f u i
o ■ e ■ u ■ ç ■ l ■ m
f e r ■ a b u s e r ■
f ■ ■ r ■ ■ ■ u ■ ■ â
r a r e t é s ■ v i t
i ■ i ■ s ■ k ■ e ■ r
r ô t i ■ s i e s t e
```

## No. 76

```
m o t s ■ v i r a g e
â ■ r ■ ■ n ■ p ■ ■ x
c h u t e ■ d i r a i
h ■ i ■ s ■ i ■ è ■ l
e x e r c i c e s ■ ■
r ■ ■ a ■ i ■ ■ ■ ■ a
■ ■ d é l i b é r e r
r ■ r ■ a ■ l ■ i ■ m
a v a n t ■ e n v i é
i ■ b ■ o ■ ■ ■ a ■ e
l i e r r e ■ g l a s
```

## No. 77

```
p u n i ■ r a i s o n
a ■ o ■ ■ s ■ e ■ ■ i
p l i e r ■ s u i t e
i ■ e ■ e ■ i ■ n ■ r
e n s u s p e n s ■ ■
r ■ ■ t ■ t ■ ■ ■ ■ c
■ ■ f l a t t e r i e
a ■ ê ■ u ■ e ■ â ■ r
g â t e r ■ s a l u t
i ■ e ■ e ■ ■ ■ e ■ e
r a s e r a ■ c r i s
```

## No. 78

```
s h é r i f ■ s a l é
a ■ g ■ n ■ l ■ c ■ m
c r o i s ■ u t i l e
s ■ u ■ e ■ n ■ d ■ u
■ é t o n n e m e n t
j ■ ■ s ■ d ■ ■ ■ ■ e
a r c h i t e c t e ■
m ■ a ■ b ■ m ■ r ■ c
b a n a l ■ i c ô n e
e ■ o ■ e ■ e ■ ■ ■ n
s e n s ■ c l i e n t
```

# Solutions

## No. 79

| v | i | d | e | ■ | n | o | r | m | a | l |
|---|---|---|---|---|---|---|---|---|---|---|
| i | ■ | é | ■ | ■ | b | ■ | i | ■ | i |
| a | u | c | u | n | ■ | s | o | n | d | e |
| n | ■ | o | ■ | o | ■ | t | ■ | e | ■ | n |
| d | é | r | o | u | t | a | n | t | ■ | ■ |
| e | ■ | ■ | v | ■ | c | ■ | ■ | ■ | a |
| ■ | ■ | o | r | e | i | l | l | e | r | s |
| a | ■ | p | ■ | l | ■ | e | ■ | x | ■ | a |
| t | o | t | a | l | ■ | s | a | i | s | i |
| u | ■ | e | ■ | e | ■ | ■ | g | ■ | m |
| é | c | r | a | s | e | ■ | m | é | m | é |

## No. 80

| f | r | é | m | i | r | ■ | v | e | u | t |
|---|---|---|---|---|---|---|---|---|---|---|
| a | ■ | p | ■ | n | ■ | s | ■ | x | ■ | r |
| i | d | i | o | t | ■ | a | s | i | l | e |
| t | ■ | n | ■ | é | ■ | n | ■ | g | ■ | n |
| ■ | r | e | d | r | e | s | s | e | n | t |
| s | ■ | ■ | ■ | e | ■ | s | ■ | ■ | ■ | e |
| é | p | o | u | s | s | e | t | e | r | ■ |
| j | ■ | b | ■ | s | ■ | r | ■ | x | ■ | o |
| o | p | è | r | e | ■ | r | a | i | d | s |
| u | ■ | s | ■ | r | ■ | e | ■ | l | ■ | e |
| r | u | e | r | ■ | b | r | i | s | e | r |

## No. 81

| f | e | r | s | ■ | t | e | x | t | e | s |
|---|---|---|---|---|---|---|---|---|---|---|
| o | ■ | e | ■ | ■ | x | ■ | r | ■ | o |
| r | e | p | o | s | ■ | p | l | o | u | f |
| m | ■ | a | ■ | e | ■ | r | ■ | i | ■ | a |
| a | s | s | a | s | s | i | n | s | ■ | ■ |
| t | ■ | ■ | o | ■ | m | ■ | ■ | ■ | p |
| ■ | ■ | g | o | u | v | e | r | n | e | r |
| l | ■ | i | ■ | c | ■ | n | ■ | o | ■ | i |
| o | u | b | l | i | ■ | t | a | b | l | e |
| n | ■ | e | ■ | e | ■ | ■ | l | ■ | n |
| g | â | t | e | r | a | ■ | s | e | n | t |

## No. 82

| e | s | p | é | r | é | ■ | h | a | i | e |
|---|---|---|---|---|---|---|---|---|---|---|
| l | ■ | o | ■ | a | ■ | a | ■ | r | ■ | r |
| f | o | u | ■ | t | a | p | o | t | e | r |
| e | ■ | s | ■ | ■ | e | ■ | ■ | ■ | e |
| ■ | e | s | v | e | n | u | ■ | p | e | u |
| a | ■ | e | ■ | m | ■ | r | ■ | r | ■ | r |
| m | û | r | ■ | p | i | é | t | o | n | ■ |
| e | ■ | ■ | ■ | i | ■ | ■ | d | ■ | v |
| n | a | t | u | r | e | l | ■ | u | n | i |
| t | ■ | i | ■ | e | ■ | i | ■ | i | ■ | n |
| i | v | r | e | ■ | g | e | s | t | e | s |

## No. 83

| a | j | o | u | t | e | ■ | b | l | o | c |
|---|---|---|---|---|---|---|---|---|---|---|
| i | ■ | i | ■ | a | ■ | ■ | a | ■ | r |
| l | i | s | ■ | s | t | r | e | s | s | é |
| u | ■ | e | ■ | ■ | i | ■ | ■ | ■ | e |
| ■ | ■ | a | i | d | e | r | ■ | p | a | r |
| e | ■ | u | ■ | o | ■ | e | ■ | r | ■ | a |
| s | i | x | ■ | i | s | s | u | e | ■ | ■ |
| p | ■ | ■ | g | ■ | ■ | ■ | s | ■ | r |
| r | e | l | a | t | i | f | ■ | q | u | e |
| i | ■ | a | ■ | ■ | i | ■ | u | ■ | v |
| t | a | c | t | ■ | a | n | n | e | a | u |

## No. 84

| é | t | a | u | ■ | c | a | c | h | e | r |
|---|---|---|---|---|---|---|---|---|---|---|
| g | ■ | r | ■ | d | ■ | d | ■ | é | ■ | a |
| a | o | b | é | i | ■ | m | a | r | d | i |
| r | ■ | r | ■ | s | ■ | i | ■ | o | ■ | d |
| e | x | e | r | c | e | r | o | n | s | ■ |
| r | ■ | ■ | ■ | i | ■ | a | ■ | ■ | ■ | c |
| ■ | c | o | m | p | a | t | i | b | l | e |
| t | ■ | u | ■ | l | ■ | i | ■ | o | ■ | s |
| r | é | a | g | i | ■ | o | a | s | i | s |
| o | ■ | i | ■ | ■ | n | ■ | n | ■ | s | ■ | e |
| p | i | s | t | e | s | ■ | j | e | t | s |

# Solutions

## No. 85

```
r e p è r e ■ p é r i
a ■ r ■ e ■ a ■ v ■ n
s h o r t ■ t a i r e
e ■ s ■ i ■ r ■ t ■ p
■ r e c e v a i e n t
a ■ ■ n ■ v ■ ■ ■ ■ e
v o l o n t a i r e ■
o ■ u ■ e ■ i ■ u ■ p
c h i e n ■ l a i n e
a ■ r ■ t ■ l ■ n ■ s
t u e s ■ a é l e v é
```

## No. 86

```
g l i s s é ■ l o i s
a ■ n ■ u ■ ■ d ■ a
g a i ■ d o r m e n t
e ■ t ■ ■ a ■ ■ ■ i
■ ■ i d é e s ■ d o n
a ■ a ■ p ■ e ■ i ■ é
s o l ■ é c r i s ■ ■
p ■ ■ e ■ ■ ■ p ■ d
e s r e s t é ■ a t u
c ■ i ■ ■ l ■ r ■ o
t â t e ■ t u e u r s
```

## No. 87

```
f u m e r a ■ f l i c
i ■ a ■ é ■ c ■ a ■ r
l i r a s ■ h o m m e
é ■ g ■ e ■ i ■ p ■ u
■ m e u r t r i e r s
c ■ ■ ■ v ■ u ■ ■ ■ e
r e s s o u r c e s ■
i ■ p ■ i ■ g ■ x ■ f
a v o i r ■ i d o l e
i ■ r ■ s ■ e ■ d ■ u
t â t é ■ e n c e n s
```

## No. 88

```
a b j e c t ■ g o û t
i ■ u ■ a ■ ■ s ■ i
v a s ■ p a s t e u r
u ■ t ■ ■ i ■ ■ ■ o
■ ■ i m m u n ■ m o i
e ■ c ■ o ■ g ■ a ■ r
n i e ■ t u e n t ■ ■
g ■ ■ o ■ ■ ■ i ■ s
a s s i s e s ■ è r e
g ■ k ■ ■ ■ a ■ r ■ m
e x i l ■ a c h e t é
```

## No. 89

```
f e n d ■ i s s u e s
a ■ o ■ a ■ e ■ t ■ e
c h i o t ■ c r i e r
i ■ e ■ t ■ o ■ l ■ a
a s s u r a n c e s ■
l ■ ■ ■ a ■ d ■ ■ ■ a
■ m a r c h a i e n t
h ■ d ■ t ■ i ■ x ■ e
a f i n i ■ r a i e s
u ■ e ■ o ■ e ■ g ■ t
t o u r n é ■ t é l é
```

## No. 90

```
b a i e ■ p a r f u m
a ■ d ■ a ■ v ■ i ■ u
s e i n s ■ o n g l e
s ■ o ■ t ■ n ■ u ■ t
i n t é r e s s e r ■
n ■ ■ ■ o ■ c ■ ■ ■ i
■ t r e n t e e t u n
é ■ e ■ o ■ s ■ r ■ i
d e n i m ■ s a i n t
i ■ d ■ i ■ é ■ b ■ i
t a s s e s ■ d u r é
```

# Solutions

## No. 91

| a | p | p | e | l | s | ■ | l | o | n | g |
|---|---|---|---|---|---|---|---|---|---|---|
| r | ■ | â | ■ | e | ■ | ■ | b | ■ | ■ | u |
| d | i | t | e | s | ■ | a | r | è | n | e |
| u | ■ | e | ■ | a | r | ■ | s | ■ | ■ | r |
| ■ | ■ | s | c | u | l | p | t | e | u | r |
| c | ■ | ■ | t | ■ | e | ■ | ■ | ■ | ■ | e |
| a | s | s | u | r | a | n | c | e | ■ | ■ |
| c | ■ | a | ■ | e | ■ | t | ■ | x | ■ | d |
| t | a | p | i | s | ■ | a | a | i | d | é |
| u | ■ | e | ■ | ■ | g | ■ | g | ■ | ■ | ç |
| s | e | r | s | ■ | r | e | t | e | n | u |

## No. 92

| e | f | f | o | r | t | ■ | h | a | i | e |
|---|---|---|---|---|---|---|---|---|---|---|
| l | ■ | i | ■ | a | ■ | a | ■ | r | ■ | r |
| f | a | x | ■ | t | a | p | o | t | e | r |
| e | ■ | i | ■ | ■ | ■ | a | ■ | ■ | ■ | e |
| ■ | t | o | i | l | e | s | ■ | p | e | u |
| a | ■ | n | ■ | a | ■ | s | ■ | r | ■ | r |
| b | u | s | ■ | p | i | é | t | o | n | ■ |
| o | ■ | ■ | ■ | i | ■ | ■ | ■ | d | ■ | v |
| r | o | b | i | n | e | t | ■ | u | n | i |
| d | ■ | l | ■ | s | ■ | i | ■ | i | ■ | c |
| é | t | é | s | ■ | g | r | o | t | t | e |

## No. 93

| a | n | a | n | a | s | ■ | p | e | n | d |
|---|---|---|---|---|---|---|---|---|---|---|
| h | ■ | u | ■ | s | ■ | o | ■ | s | ■ | é |
| a | c | r | é | é | ■ | b | u | s | t | e |
| i | ■ | a | ■ | t | ■ | é | ■ | a | ■ | s |
| ■ | l | i | b | r | a | i | r | i | e | s |
| h | ■ | ■ | a | ■ | s | ■ | ■ | ■ | ■ | e |
| o | r | g | a | n | i | s | a | i | s | ■ |
| m | ■ | â | ■ | g | ■ | a | ■ | m | ■ | b |
| a | u | t | e | l | ■ | n | a | p | p | e |
| r | ■ | e | ■ | é | ■ | c | ■ | u | ■ | c |
| d | i | r | a | ■ | d | e | g | r | é | s |

## No. 94

| r | u | s | e | ■ | e | r | r | o | n | é |
|---|---|---|---|---|---|---|---|---|---|---|
| é | ■ | e | ■ | ■ | e | ■ | u | ■ | ■ | t |
| a | d | m | e | t | ■ | n | i | e | r | a |
| g | ■ | e | ■ | e | ■ | v | ■ | s | ■ | u |
| i | r | r | e | s | p | e | c | t | ■ | ■ |
| r | ■ | ■ | ■ | t | ■ | r | ■ | ■ | ■ | p |
| ■ | ■ | t | r | a | n | s | i | t | e | r |
| m | ■ | o | ■ | m | ■ | e | ■ | e | ■ | e |
| o | l | i | v | e | ■ | z | o | n | e | s |
| i | ■ | l | ■ | n | ■ | ■ | ■ | d | ■ | s |
| s | i | e | s | t | e | ■ | r | u | d | e |

## No. 95

| b | a | l | a | i | s | ■ | d | o | r | t |
|---|---|---|---|---|---|---|---|---|---|---|
| a | ■ | a | ■ | n | ■ | ■ | ■ | m | ■ | â |
| c | a | p | o | t | ■ | g | i | b | e | t |
| s | ■ | i | ■ | e | ■ | r | ■ | r | ■ | e |
| ■ | ■ | n | a | r | r | a | t | e | u | r |
| a | ■ | ■ | ■ | d | ■ | v | ■ | ■ | ■ | a |
| s | p | é | c | i | f | i | e | r | ■ | ■ |
| o | ■ | c | ■ | r | ■ | l | ■ | u | ■ | r |
| r | o | u | t | e | ■ | l | a | i | n | e |
| t | ■ | m | ■ | ■ | o | ■ | n | ■ | ■ | v |
| i | r | e | z | ■ | a | n | n | e | a | u |

## No. 96

| a | f | f | a | m | é | ■ | p | â | l | e |
|---|---|---|---|---|---|---|---|---|---|---|
| b | ■ | o | ■ | e | ■ | i | ■ | g | ■ | n |
| a | t | u | ■ | r | a | m | p | e | n | t |
| t | ■ | l | ■ | ■ | ■ | i | ■ | ■ | ■ | i |
| ■ | y | a | o | u | r | t | ■ | p | o | t |
| é | ■ | i | ■ | r | ■ | e | ■ | r | ■ | é |
| p | e | t | ■ | g | a | r | d | e | r | ■ |
| i | ■ | ■ | ■ | e | ■ | ■ | ■ | s | ■ | p |
| c | a | b | a | n | o | n | ■ | q | u | e |
| e | ■ | a | ■ | t | ■ | i | ■ | u | ■ | s |
| r | a | c | e | ■ | a | é | l | e | v | é |

# Solutions

## No. 97

```
r a r e █ a p e n d u
y █ i █ t █ a █ é █ n
t a t o u e r █ g a i
h █ █ e █ █ █ █ l █ s
m a c █ r a i s i n █
e █ i █ a █ n █ g █ l
█ é t e i n t █ é l u
a █ e █ █ r █ █ █ █ s
f e r █ v o u l a i t
u █ n █ i █ s █ v █ r
i n e p t e █ c u b e
```

## No. 98

```
f u s i l s █ y o g a
a █ e █ i █ █ █ d █ p
d i t █ é g a r e r a
e █ a █ █ g █ █ █ █ r
█ █ p a c t e █ s o l
i █ i █ o █ n █ t █ é
m û r █ r ô t i r █ █
p █ █ █ p █ █ █ o █ u
a s s i s t é █ p i n
c █ a █ █ █ m █ h █ i
t a c t █ o u v e r t
```

## No. 99

```
c a d r a n █ a b r i
o █ a █ v █ a █ â █ s
d a n s e █ t ê t e s
e █ s █ z █ t █ o █ u
█ r é s i l i e n c e
u █ █ █ g █ r █ █ █ s
s e c o n d a i r e █
a █ i █ o █ i █ e █ a
g a r e r █ e f f e t
e █ e █ é █ n █ u █ u
s e r a █ a t e s t é
```

## No. 100

```
a v e r s é █ b a i n
u █ x █ a █ █ █ p █ e
r é a g i █ m a r d i
a █ c █ g █ e █ è █ g
█ █ t e n d r e s s e
r █ █ e █ v █ █ █ r █
e x t é r i e u r █ █
i █ r █ a █ i █ o █ o
n i a i s █ l a m e s
e █ p █ █ █ l █ p █ e
s a u f █ d e p u i s
```

## No. 101

```
l è v e █ i n g r a t
â █ a █ █ e █ o █ u
c a c h e █ t a b l e
h █ h █ n █ t █ e █ s
e x e r c i o n s █ █
r █ █ h █ y █ █ █ a
█ █ p l a ç a i e n t
r █ a █ n █ i █ x █ t
a p p â t █ t a i r e
i █ e █ e █ █ █ g █ n
d é s e r t █ f e n d
```

## No. 102

```
a c c u s é █ g a r e
i █ h █ a █ █ b █ n
b é a n t █ d r o i t
u █ u █ i █ i █ l █ i
█ █ d i s t r a i r e
s █ █ █ f █ e █ █ █ r
o n t m a r c h é █ █
r █ r █ i █ t █ c █ c
t u a i t █ e r r e r
e █ i █ █ █ u █ o █ é
z o n e █ a r m u r e
```

# Solutions

## No. 103

| | | | | | | | | | | |
|---|---|---|---|---|---|---|---|---|---|---|
| a | i | v | u | █ | n | o | b | l | e | s |
| c | █ | a | █ | █ | s | █ | u | █ | █ | a |
| c | a | s | c | a | d | e | █ | t | i | c |
| u | █ | █ | █ | v | █ | █ | t | █ | █ | s |
| s | k | i | █ | a | s | i | l | e | █ | █ |
| e | █ | n | █ | i | █ | d | █ | n | █ | a |
| █ | █ | c | e | s | s | é | █ | t | a | s |
| g | █ | e | █ | █ | █ | e | █ | █ | █ | v |
| l | a | s | █ | a | i | s | a | u | v | é |
| a | █ | t | █ | r | █ | █ | █ | n | █ | c |
| s | v | e | l | t | e | █ | l | i | e | u |

## No. 104

| | | | | | | | | | | |
|---|---|---|---|---|---|---|---|---|---|---|
| g | r | i | m | p | é | █ | z | é | l | é |
| a | █ | d | █ | a | █ | █ | █ | p | █ | g |
| g | a | i | n | s | █ | o | p | é | r | a |
| e | █ | o | █ | s | █ | n | █ | e | █ | r |
| █ | █ | t | r | i | s | t | e | s | s | e |
| a | █ | █ | █ | o | █ | t | █ | █ | █ | r |
| p | l | a | i | n | d | r | a | s | █ | |
| p | █ | f | █ | n | █ | o | █ | t | █ | d |
| e | x | i | g | é | █ | u | n | a | m | i |
| l | █ | n | █ | █ | █ | v | █ | d | █ | e |
| s | a | i | s | █ | d | é | t | e | n | u |

## No. 105

| | | | | | | | | | | |
|---|---|---|---|---|---|---|---|---|---|---|
| g | o | l | f | █ | m | a | s | s | e | r |
| l | █ | i | █ | a | █ | i | █ | u | █ | i |
| o | r | e | i | l | l | e | █ | s | u | d |
| i | █ | █ | █ | l | █ | n | █ | p | █ | é |
| r | a | p | p | o | r | t | i | e | z | █ |
| e | █ | r | █ | c | █ | r | █ | c | █ | r |
| █ | r | e | p | a | r | a | î | t | r | e |
| e | █ | s | █ | t | █ | î | █ | █ | █ | c |
| l | i | s | █ | i | g | n | o | r | e | r |
| f | █ | e | █ | o | █ | é | █ | a | █ | u |
| e | r | r | a | n | t | █ | â | t | r | e |

## No. 106

| | | | | | | | | | | |
|---|---|---|---|---|---|---|---|---|---|---|
| j | u | g | e | █ | é | t | u | d | e | s |
| o | █ | e | █ | t | █ | r | █ | u | █ | a |
| c | a | l | m | e | █ | a | m | p | h | i |
| k | █ | é | █ | m | █ | v | █ | e | █ | t |
| e | x | e | m | p | l | a | i | r | e | █ |
| y | █ | █ | █ | o | █ | i | █ | █ | █ | s |
| █ | a | s | t | r | o | l | o | g | u | e |
| o | █ | e | █ | a | █ | l | █ | e | █ | u |
| s | a | i | s | i | █ | e | s | s | a | i |
| e | █ | n | █ | r | █ | r | █ | t | █ | l |
| r | e | s | t | e | r | █ | j | e | t | s |

## No. 107

| | | | | | | | | | | |
|---|---|---|---|---|---|---|---|---|---|---|
| a | h | a | ï | █ | f | r | o | n | d | e |
| i | █ | u | █ | t | █ | é | █ | o | █ | x |
| d | é | c | o | r | █ | p | a | r | m | i |
| u | █ | u | █ | o | █ | r | █ | m | █ | l |
| r | e | n | o | u | v | e | l | e | r | █ |
| é | █ | █ | █ | v | █ | s | █ | █ | █ | p |
| █ | a | s | s | a | s | s | i | n | e | r |
| p | █ | e | █ | i | █ | i | █ | i | █ | i |
| l | a | r | g | e | █ | o | b | è | s | e |
| i | █ | a | █ | n | █ | n | █ | c | █ | n |
| e | x | i | s | t | e | █ | s | e | n | t |

## No. 108

| | | | | | | | | | | |
|---|---|---|---|---|---|---|---|---|---|---|
| p | è | r | e | █ | c | l | a | p | e | t |
| a | █ | i | █ | b | █ | i | █ | l | █ | o |
| r | e | t | a | r | d | é | █ | a | v | u |
| e | █ | █ | █ | u | █ | █ | █ | ç | █ | r |
| n | i | e | █ | t | r | é | s | o | r | █ |
| t | █ | x | █ | a | █ | c | █ | n | █ | s |
| █ | g | i | f | l | e | r | █ | s | a | c |
| à | █ | s | █ | █ | █ | i | █ | █ | █ | è |
| p | e | t | █ | o | u | r | a | g | a | n |
| i | █ | e | █ | d | █ | a | █ | a | █ | e |
| c | o | r | s | e | t | █ | f | i | n | s |

# Solutions

## No. 109

| m | a | i | s | o | n | ■ | b | r | e | f |
|---|---|---|---|---|---|---|---|---|---|---|
| o | ■ | m | ■ | b | ■ | l | ■ | i | ■ | e |
| t | e | m | p | s | ■ | a | u | r | a | s |
| s | ■ | u | ■ | e | ■ | m | ■ | e | ■ | s |
| ■ | o | n | t | r | e | p | a | s | s | é |
| m | ■ | ■ | ■ | v | ■ | a | ■ | ■ | ■ | e |
| é | t | r | e | i | n | d | r | e | z | ■ |
| p | ■ | o | ■ | o | ■ | a | ■ | x | ■ | r |
| r | a | y | o | n | ■ | i | d | o | l | e |
| i | ■ | a | ■ | s | ■ | r | ■ | d | ■ | v |
| s | a | l | é | ■ | r | e | t | e | n | u |

## No. 110

| f | u | m | é | ■ | p | r | o | m | e | t |
|---|---|---|---|---|---|---|---|---|---|---|
| é | ■ | o | ■ | a | ■ | é | ■ | a | ■ | é |
| r | o | m | p | u | ■ | d | é | g | e | l |
| o | ■ | i | ■ | p | ■ | u | ■ | i | ■ | é |
| c | h | e | v | a | u | c | h | e | r | ■ |
| e | ■ | ■ | ■ | r | ■ | t | ■ | ■ | ■ | b |
| ■ | o | r | g | a | n | i | s | e | r | a |
| o | ■ | o | ■ | v | ■ | o | ■ | n | ■ | l |
| s | a | u | r | a | ■ | n | a | v | a | l |
| e | ■ | t | ■ | n | ■ | s | ■ | i | ■ | o |
| s | i | e | s | t | e | ■ | n | é | o | n |

## No. 111

| a | r | c | a | d | e | ■ | m | é | m | é |
|---|---|---|---|---|---|---|---|---|---|---|
| i | ■ | e | ■ | u | ■ | s | ■ | l | ■ | p |
| g | i | n | ■ | o | n | t | p | u | n | i |
| u | ■ | t | ■ | ■ | a | ■ | ■ | ■ | ■ | c |
| ■ | i | r | r | é | e | l | ■ | q | u | e |
| a | ■ | a | ■ | c | ■ | l | ■ | u | ■ | r |
| s | o | l | ■ | o | s | e | r | e | z | ■ |
| e | ■ | ■ | ■ | l | ■ | ■ | ■ | l | ■ | d |
| r | a | m | p | e | n | t | ■ | q | u | i |
| r | ■ | o | ■ | s | ■ | i | ■ | u | ■ | r |
| é | d | i | t | ■ | c | r | i | e | r | a |

## No. 112

| r | e | n | a | r | d | ■ | f | a | i | t |
|---|---|---|---|---|---|---|---|---|---|---|
| o | ■ | o | ■ | a | ■ | ■ | ■ | m | ■ | â |
| b | a | i | n | s | ■ | r | é | p | i | t |
| e | ■ | e | ■ | s | ■ | e | ■ | l | ■ | e |
| ■ | ■ | s | c | u | l | p | t | e | u | r |
| r | ■ | ■ | r | ■ | a | ■ | ■ | ■ | ■ | a |
| ê | t | r | e | a | s | s | i | s | ■ | ■ |
| v | ■ | e | ■ | n | ■ | s | ■ | e | ■ | d |
| e | f | f | e | t | ■ | a | a | i | d | é |
| u | ■ | u | ■ | ■ | ■ | g | ■ | z | ■ | ç |
| r | a | s | e | ■ | r | e | v | e | n | u |

## No. 113

| v | i | c | e | ■ | r | a | s | e | r | a |
|---|---|---|---|---|---|---|---|---|---|---|
| i | ■ | l | ■ | m | ■ | r | ■ | s | ■ | b |
| a | r | é | d | u | i | t | ■ | p | a | r |
| n | ■ | ■ | ■ | t | ■ | ■ | ■ | è | ■ | i |
| d | i | t | ■ | a | s | o | u | r | i | ■ |
| e | ■ | r | ■ | n | ■ | b | ■ | e | ■ | e |
| ■ | j | e | t | t | e | s | ■ | s | i | x |
| à | ■ | m | ■ | ■ | ■ | c | ■ | ■ | ■ | p |
| b | i | p | ■ | s | o | u | f | f | r | e |
| a | ■ | e | ■ | k | ■ | r | ■ | o | ■ | r |
| s | e | r | e | i | n | ■ | s | u | i | t |

## No. 114

| a | r | c | s | ■ | h | i | v | e | r | s |
|---|---|---|---|---|---|---|---|---|---|---|
| i | ■ | a | ■ | a | ■ | m | ■ | x | ■ | e |
| p | a | p | e | s | ■ | p | l | i | e | r |
| r | ■ | o | ■ | a | ■ | o | ■ | g | ■ | a |
| i | n | t | é | r | e | s | s | e | r | ■ |
| é | ■ | ■ | ■ | t | ■ | s | ■ | ■ | ■ | m |
| ■ | r | é | s | i | l | i | e | n | c | e |
| i | ■ | c | ■ | c | ■ | b | ■ | o | ■ | s |
| v | e | r | t | u | ■ | l | a | m | e | s |
| r | ■ | i | ■ | l | ■ | e | ■ | m | ■ | e |
| e | n | t | r | é | e | ■ | f | e | r | s |

# Solutions

## No. 115

```
m o n t r e ■ s o n t
i ■ o ■ a ■ r ■ s ■ o
d o t ■ t a u r e a u
i ■ o ■ ■ e ■ ■ ■ ■ s
■ s i g n a l ■ l a s
a ■ r ■ i ■ l ■ u ■ é
v u e ■ c h e m i n ■
a ■ ■ h ■ ■ ■ s ■ ■ a
l a m b e a u ■ a t u
e ■ a ■ r ■ n ■ n ■ b
r a c e ■ c i n t r e
```

## No. 116

```
a n g l e s ■ z o n e
u ■ i ■ x ■ ■ t ■ ■ n
r a b a t ■ t r a i t
a ■ e ■ é ■ r ■ g ■ i
■ ■ t a r d a i e n t
i ■ ■ ■ i ■ v ■ ■ ■ é
m é p r e n a i t ■ ■
a ■ a ■ u ■ i ■ r ■ c
g a r e r ■ l a i n e
e ■ t ■ ■ ■ l ■ e ■ n
s a i s ■ d é c r e t
```

## No. 117

```
i s s u e s ■ r u d e
r ■ o ■ x ■ p ■ n ■ x
a m u s e ■ r é a g i
i ■ c ■ r ■ o ■ m ■ g
■ d i s c i p l i n e
o ■ ■ ■ e ■ r ■ ■ ■ r
c o u v r a i e n t ■
c ■ n ■ o ■ é ■ o ■ j
u n i o n ■ t a b o u
p ■ r ■ s ■ é ■ l ■ g
é t a u ■ a s j e t é
```

## No. 118

```
j u g e r a ■ g â t e
u ■ r ■ i ■ ■ ■ g ■ r
g a i ■ t e r r e u r
e ■ m ■ ■ ■ u ■ ■ ■ e
■ ■ p a n e r ■ j e u
e ■ e ■ o ■ a ■ o ■ r
f e r ■ t a l o n ■ ■
f ■ ■ e ■ ■ ■ g ■ ■ s
e s p é r e z ■ l a c
t ■ i ■ ■ ■ o ■ e ■ i
s a c s ■ b o u r s e
```

## No. 119

```
u l c è r e ■ y o g a
n ■ r ■ e ■ a ■ l ■ i
i d i o t ■ t e i n t
s ■ e ■ o ■ r ■ v ■ â
■ t r o u v a i e n t
f ■ ■ ■ r ■ v ■ ■ ■ é
i n v e n t a i r e ■
c ■ e ■ e ■ i ■ a ■ p
t e n i r ■ l a m p e
i ■ i ■ a ■ l ■ p ■ s
f o r t ■ d é c é d é
```

## No. 120

```
d e p u i s ■ s a i t
ô ■ a ■ d ■ ■ u ■ ■ u
m a r g e ■ b a r b e
e ■ m ■ n ■ a ■ a ■ r
■ ■ i n t e r d i r e
a ■ ■ ■ i ■ r ■ ■ ■ z
s o l i t a i r e ■ ■
p ■ â ■ é ■ è ■ s ■ f
e x c è s ■ r a s e r
c ■ h ■ ■ ■ e ■ o ■ e
t u e s ■ e s p r i t
```

# Solutions

## No. 121

| a | v | e | z | ■ | a | é | r | i | e | n |
|---|---|---|---|---|---|---|---|---|---|---|
| p | ■ | x | ■ | a | ■ | t | ■ | m | ■ | i |
| a | v | a | i | s | ■ | r | a | m | p | e |
| s | ■ | c | ■ | s | ■ | e | ■ | u | ■ | r |
| s | i | t | u | a | t | i | o | n | s | ■ |
| é | ■ | ■ | ■ | s | ■ | n | ■ | ■ | ■ | a |
| ■ | c | o | n | s | i | d | é | r | e | r |
| s | ■ | n | ■ | i | ■ | r | ■ | i | ■ | m |
| c | o | t | o | n | ■ | e | n | v | i | é |
| a | ■ | b | ■ | e | ■ | z | ■ | a | ■ | e |
| n | e | u | t | r | e | ■ | g | l | a | s |

## No. 122

| s | a | c | ■ | a | p | p | r | e | n | d |
|---|---|---|---|---|---|---|---|---|---|---|
| e | ■ | i | ■ | b | ■ | ■ | e | ■ | ■ | i |
| t | ■ | t | ■ | a | n | x | i | e | u | x |
| a | m | e | n | t | i | ■ | n | ■ | ■ | ■ |
| p | ■ | r | ■ | é | ■ | e | l | f | e | |
| i | ■ | n | i | e | ■ | o | s | é | ■ | n |
| r | u | e | r | ■ | î | ■ | ■ | o | ■ | n |
| ■ | ■ | ■ | r | ■ | l | a | m | p | é | e |
| t | o | l | é | r | e | r | ■ | a | ■ | m |
| i | ■ | ■ | e | ■ | ■ | d | ■ | r | ■ | i |
| r | o | u | l | e | a | u | ■ | d | é | s |

## No. 123

| m | a | d | a | m | e | ■ | s | a | g | e |
|---|---|---|---|---|---|---|---|---|---|---|
| i | ■ | i | ■ | e | ■ | ■ | r | ■ | s | |
| s | o | l | ■ | r | a | r | e | t | é | s |
| e | ■ | e | ■ | ■ | a | ■ | ■ | a | | |
| ■ | ■ | m | a | r | d | i | ■ | f | u | i |
| é | ■ | m | ■ | ô | ■ | d | ■ | l | ■ | m |
| q | u | e | ■ | t | a | s | s | e | ■ | ■ |
| u | ■ | ■ | i | ■ | ■ | u | ■ | o | | |
| i | m | m | o | r | a | l | ■ | v | a | s |
| p | ■ | o | ■ | ■ | i | ■ | e | ■ | e | |
| e | x | i | l | ■ | d | e | s | s | u | s |

## No. 124

| a | b | u | s | ■ | t | i | r | e | u | r |
|---|---|---|---|---|---|---|---|---|---|---|
| g | ■ | s | ■ | ■ | n | ■ | r | ■ | a | |
| a | b | u | s | e | ■ | f | e | r | r | y |
| r | ■ | e | ■ | m | ■ | i | ■ | e | ■ | é |
| d | é | l | i | b | é | r | e | r | ■ | |
| é | ■ | ■ | r | ■ | m | ■ | ■ | ■ | a | |
| ■ | a | g | o | n | i | s | a | n | t | |
| t | ■ | n | ■ | c | ■ | e | ■ | i | ■ | e |
| r | a | n | c | h | ■ | r | a | d | i | s |
| o | ■ | é | ■ | e | ■ | ■ | e | ■ | t | |
| p | i | e | r | r | e | ■ | a | r | m | é |

## No. 125

| i | m | p | o | l | i | ■ | p | l | i | é |
|---|---|---|---|---|---|---|---|---|---|---|
| v | ■ | a | ■ | a | ■ | a | ■ | i | ■ | t |
| r | a | t | ■ | s | a | g | e | s | s | e |
| e | ■ | i | ■ | ■ | n | ■ | ■ | n | | |
| ■ | r | e | c | r | u | e | ■ | s | u | d |
| a | ■ | n | ■ | a | ■ | a | ■ | t | ■ | u |
| j | e | t | ■ | m | o | u | d | r | e | ■ |
| u | ■ | ■ | p | ■ | ■ | o | ■ | t | | |
| s | a | u | v | e | r | a | ■ | p | a | r |
| t | ■ | n | ■ | r | ■ | t | ■ | h | ■ | o |
| é | d | i | t | ■ | b | u | r | e | a | u |

Printed in Great Britain
by Amazon